U0102306

中國美術全集

中國美術全集

玉　　器　　一

全國百佳圖书出版單位
ARTTIME 時代出版
時代出版傳媒股份有限公司
黄　山　書　社

☆ 國家出版基金項目

圖書在版編目（CIP）數據

中國美術全集・玉器/金維諾總主編；孫華卷主編.—合肥：黃山書社，2010.6

ISBN 978-7-5461-1369-2

I.①中… II.①金… ②孫… III.①美術—作品綜合集—中國—古代 ②古玉器—中國—圖集 IV. ①J121 ②K876.82

中國版本圖書館CIP數據核字（2010）第111980號

中國美術全集・玉器

總 主 編：金維諾　　卷 主 編：孫　華　　責任印製：李曉明
責任編輯：宋啓發　　封面設計：蠹魚閣　　責任校對：李　婷

出版發行：時代出版傳媒股份有限公司(http://www.press-mart.com)
黃山書社(http://www.hsbook.cn)
（合肥市翡翠路1118號出版傳媒廣場7層　郵編：230071　電話：3533762）
經　　銷：新華書店
印　　刷：北京雅昌彩色印刷有限公司

開本：889×1194　1/16　　印張：53.25　　字數：162千字　　圖片：1722幅
版次：2010年12月第1版　　印次：2010年12月第1次印刷
書號：ISBN 978-7-5461-1369-2　　定價：1800圓（全三册）

《中國美術全集》編纂委員會

凡　例

一、編　排

1.本書所選作品範圍爲中國人創作的、反映中國文化的美術品，也收録了少量外國人創作的，在中外文化交流史上具有代表性的美術品，如唐代外來金銀器、清代傳教士郎世寧的繪畫作品等。

2.根據美術品的表現形式和質地，共分爲二十餘類，合爲卷軸畫、殿堂壁畫、墓室壁畫、石窟寺壁畫、畫像石畫像磚、年畫、岩畫版畫、竹木骨牙角雕珐琅器、石窟寺雕塑、宗教雕塑、墓葬及其他雕塑、書法、篆刻、青銅器、陶瓷器、漆器家具、玉器、金銀器玻璃器、紡織品、建築等二十卷，五十册。另有總目録一册。

3.各卷前均有綜述性的序言，使讀者對相應類别美術品的起源、發展、鼎盛和衰落過程有一個較爲全面、宏觀的瞭解。

4.作品按時代先後排列。卷軸畫、書法和篆刻卷中的署名作品，按作者生年先後排列，佚名的一律置于同時期署名作品之後。摹本所放位置隨原作時間。

5.一些作品可以歸屬不同的分類，需要根據其特點、規模等情况有所取捨和側重，一般不重複收録。如雕塑卷中不收録玉器、金銀器、瓷器。當然，青銅器、陶器中有少數作品，歷來被視爲古代雕塑中的精品（如青銅器中的象尊、陶器中的人形罐等），則酌予兼收。

6.爲便于讀者瞭解大型美術品的全貌，墓室壁畫、紡織品等類别中部分作品增加了反映全貌或局部的示意圖。

二、時間問題

7.所選美術品的時間跨度爲新石器時代至公元1911年清王朝滅亡（建築類適當下延）。

8.遼、北宋、西夏、金、南宋等幾個政權的存在時間有相互重叠的情况，排列順序依各政權建國時間的先後。

9.新疆、西藏、雲南等邊疆地區的美術品，不能確知所屬王朝的（如新疆早期石窟寺），以公元紀年表示，可以確知其所屬王朝（如麴氏高昌、回鶻高昌、南詔國、大理國、高句麗、渤海國等）的，則將其列入相應的時間段中。

10.對于存在時間很短的過渡性政權，如新莽、南明、太平天國等，其間産生的作品亦列入相應的時間段中，政權名作爲作品時間注明。

11.某些政權（如先周、蒙古汗國、後金等）建國前的本民族作品，則按時間先後置于所立國作品序列中，如蒙古汗國的美術品放在元朝。

三、圖版説明

12.文字采用規範的繁體字。

13.對所選美術作品一般衹作客觀性的介紹，不作主觀性較强的評述。

14.所介紹内容包括所屬年代、外觀尺寸、形制特徵、内容簡介、現藏地等項，出土的作品儘量注明出土地點。由于資料缺乏或難以考索，部分作品的上述各項無法全部注明，則暫付闕如，以待知者。

四、目録及附録

15.爲了方便讀者查閲，目録與索引合并排印，在每一行中依次提供頁碼、作品名稱、所屬時間、出土發現地/作者、現藏地等信息。

16.爲體現美術作品發展的時空概念，每卷附有時代年表，個别卷附有分布圖，如石窟寺分布圖、墓室壁畫分布圖等。

五、其　他

17.古代地名一般附注對應的當代地名。當代地名的録入，以中華人民共和國國務院批準的2008年底全國縣級以上行政區劃爲依據。

18.古代作者生卒年、籍貫、履歷等情況，或有不同的説法，本書擇善而從，不作考辨。

中國美術全集總目

總目録
卷軸畫
石窟寺壁畫
殿堂壁畫
墓室壁畫
岩畫　版畫
年畫
畫像石　畫像磚
書法
篆刻
石窟寺雕塑
宗教雕塑
墓葬及其他雕塑
青銅器
陶瓷器
玉器
漆器　家具
金銀器　玻璃器
竹木骨牙角雕　琺琅器
紡織品
建築

中國玉器藝術概説

玉器是中國造形藝術的一個門類，也是中國傳統文化百花叢中一朵艷麗的奇葩。在歐洲奥地利的Calgenberg遺址就出土過距今約30000年的屬于奥瑞納文化的蛇紋石玉女神像，在西伯利亞的布賴特（Buret'）、瑪爾塔（Mal'ta）等遺址也發現了年代在20000年前後的透閃石玉的裝飾品①，其玉質器具出現的時代早于中國；在中美洲，從澳爾梅克（Olmec）文化開始一直到阿兹臺克（Aztec）文化，都有比較發達的玉石工藝，用玉也是該地區傳統文化的組成部分；在大洋洲的新西蘭，當地的土著居民毛利人（Muori）一直有製作玉器的傳統，他們相信玉能够給人帶來幸運和力量，其傳統玉雕工藝一直延續到現在。不過，歐洲和西伯利亞的玉器并没有形成自身的傳統，古代中美洲的玉器工藝傳承在西班牙人進入這一地區以後就已中斷，新西蘭玉雕工藝開始較晚，其年代衹能追溯至距今千年左右。這些地區以及世界其他曾經産生過玉器工藝的地區，其玉雕工藝的發達程度都遠不及中國②。玉器作爲一種工藝品，它是中國傳統工藝美術的組成部分，同時玉雕工藝又是特殊石雕藝術，可以歸屬于雕塑藝術中“雕刻”的範疇。這種雕刻藝術和傳統工藝，自中國新石器時代晚期出現以來，經過夏商周三代的發展，已經被賦予了濃鬱的象徵意義和深廣的文化含義，在中國社會中一直受到人們的喜好和鍾愛，并一直影響到現在。可以説，中國玉器藝術是一種歷史最悠久，傳承最穩定，影響最深遠的具有中國特色的工藝美術門類。

一、源遠流長的玉雕工藝

在中國的傳統認識中，“玉”的範圍相當廣泛。它既被用來特指石質堅硬而細膩、色澤温潤且半透明的翡翠及軟玉，也曾經被用來泛指一切石質佳好、外觀艷麗的石材。翻開中國第一部文字學的專著、漢代許慎的《説文解字》，就可以看出，至遲在文字産生的時代，人們還把色彩絢麗斑斕的美石都歸入了玉類，該書玉部羅列的大量從玉之字或釋爲玉類的文字，就清楚地表明了上古時期人們的這種認識。這種認識與現代玉的定義有很大的差异。現代學者對于玉的分類有軟玉和硬玉兩種，軟玉主要是指硬度在布氏6–6.5度的透閃石和蛇紋石，顔色主要有白、黄、青、緑、墨五種，硬玉特指産自緬甸的翡翠而言，其硬度達布氏7度左右，色澤青翠欲滴，這一品種從清代才傳入并成爲玉雕的重要材質之一。現代玉的範圍遠没有古代玉寬闊。這實際上并不奇怪，人類對于玉石的認識本來就有一個由低到高、從粗到細的發展過程。先秦時期僅從色彩和外觀將比較漂亮的石材從普通石材中分離出來，以後才從硬度和材質兩方面給比較漂亮石料中的真正的玉以限定。

隨着人們生活範圍的擴大，彼此交往的增多和知識的積纍，人們認識的美石種類和審美判斷能力也不斷提高，除了瑾、瑜、璇、璿、琳、瑶等“美玉”被使用于製作禮儀和裝飾用途的器物外，“石之次玉者”如玤、玲、璓、玖，“石之似玉者”如瑀、珁、璁、琟，以及“石之美者”如碧、琨、珉、瑶③，也被廣泛使用在製作不同種類的器物上。至遲在中國夏商周時期，人們對美玉和似玉的美石的分辨就已經有着豐富的感性知識，他們選擇上等的美玉作爲祭祀和其他公共禮儀中使用的最重要禮器的材料，用上等美玉加工的工藝品作爲上層貴族佩帶裝飾的主要組件，而用次一些的似玉美石作爲一般禮器的材料以及佩帶裝飾中的次要組件④。到了戰國秦漢時期，更對不同材質的玉石進行了美玉、次玉之石、似玉之石、以及與玉差异較大的美石的分類。在這些禮儀活動和裝飾運用中，社會對玉石的重視程度日益提高，其觀念價值不斷加深。這些，反過來又促進了玉器雕刻工藝的迅速提高和玉雕作品的大量涌現，給我們遺留下一大批色澤美觀、工藝精湛和裝飾豪華的玉雕作品，從而形成了一門中國藝術的新門類——玉雕藝術。

上面關于古人對玉材認識過程和玉雕藝術起源的描述，衹是一種邏輯過程的推斷，還需要從考古材料來進行證實。從考古材料看，中國的玉雕藝術應當出現在距今七八千年前的新石器時代中期，也就是中國考古學上“前仰韶時代”⑤。玉雕藝術發生在這個時代，是新石器時代技術進步的必然結果。我們知道，新石器時代是以農業革命、陶器製作和磨製石器技術爲標志的時代，没有磨製石器的技術，玉器的色澤就無法呈現，玉雕品也就與普通石器没有什麽兩樣。因此，儘管舊石器時代的人們在尋找石料製作石器的過程中，偶爾可能會把軟玉一類當作石料，如在遼寧海城縣小孤山舊石器時代遺址就曾發現用蛇紋石製成的工具，但這種打製玉器與普通的石器在外觀上差异并不大，還不屬于玉雕的範疇。我們知道，玉雕藝術的基本加工技術就是琢磨，有所謂“玉不琢不成器”之説，玉雕就是伴隨着新石器的琢磨技術的進步而出現的。中國的新石器革命雖然從12000年前就已經開始，但在整個新石器時代早期，這種革命好像更多地是體現在馴化農作物和陶器製作方面，石器磨製技術并没得到足够的重視，石器仍然基本上爲打製。在缺少磨製石器技術的背景下，玉料的細膩晶瑩的特色難以被人們注意到，因而，玉器不是發生在新石器時代早期而是在新石器時代中期，這是并不奇怪的。到了距今約8000年前，磨製石器的技術已經在中國的大江南北普遍采用，當時的人們在製作石器的時候，當一塊玉料被打製成形并琢磨光潔的時候，這件器物就會呈現出與普通石料不一般的色澤。如果關注這種色澤晶瑩的玉器，并有意識地尋找這種玉料，將其加工作爲高品級的器具和藝術品，玉雕作爲一個獨特的工藝就會應運而生。

中國早期玉雕藝術的發生除了上面提到的技術條件外，還需要有資源條件和文化條件。所謂資源條件，就是在這個區域内要有埋藏較淺、容易被人們發現和利用的玉料礦藏。所謂文化條件，則是在這些埋藏有淺層玉料的地方要有一定數量的社群在活動，要有發達的新石器文化。在中國廣袤大地上，蘊藏有玉料即質地細膩的透閃石和蛇紋石礦藏的地方并不很多，最著名的玉料不外乎新疆昆侖山區的和田玉、遼寧岫岩縣一帶的岫岩玉、河南南陽市北郊的獨山玉、陝西藍田縣玉川山的藍田玉，此外在江蘇溧陽縣小梅嶺村、四川汶川縣直臺村和臺灣花蓮縣的西林地區也都有玉料埋藏。和田玉是中國最富盛名的玉料，先秦和秦漢文獻中所記的距離中心地區“七八千里”的“禺氏之玉”或“昆山之玉”⑥，指的應該就是和田玉。和田玉有品種多和質量好的特點，其白玉，尤其是白玉中的極品“羊脂玉”，受到了人們極大的喜愛，被當作財寶的代表，如《管子・輕重甲・揆度》説：“北用禺氏之玉，南貴江漢之珠。”不過，和田玉所在的昆侖山區從古至今都是人迹罕至之處，和田玉被人們發現和開采的時間也并不很早，該地區玉料受到人們注意和重視，那已經是青銅時代以後的事情了。岫岩玉的品質不如和田玉，但這一地區從舊石器時代就有人類活動，遼寧海城縣小孤山遺址發現的打製石器中就有三件用玉料製成。這一地區的人們掌握了磨製技術以後，很快就發現了玉這種特殊的石料，并用玉料琢磨出了許多玉雕作品，使得這裏及其周圍地區成爲中國最早掌握玉雕藝術的區域。分布于西遼河和大凌河流域的興隆窪文化是距今8000–7000年前的新石器文化，該文化的玉器出土已經不是個别的現象，在屬于興隆窪文化及其相關文化的内蒙古敖漢旗興隆窪遺址⑦、遼寧阜新縣的查海遺址等多個遺址中都發現了一定數量的玉器⑧，玉器中除了斧形、匕形的工具外，數量最多的是一種裝飾品，即一側有缺口的環形玉器。這種玉後來向周圍傳播，特别是沿着東部沿海地區向南傳播，散布到了大半個中國，甚至向南傳播到了東南亞地區⑨。興隆窪文化以後，東北地區的玉雕藝術迅速發展，到了距今6500–5000年的紅山文化中，玉雕藝術已經發展到了一個高峰⑩。這時期的玉雕種類不限于幾何形的工具和飾件，還出現了多種像生形的飾件和禮儀用器。即便是簡單的幾何形玉器，這時期也趨于造型複雜化，其造型很可能還蘊含有象徵性的意義。如果説玉玦這樣的玉器，其環側缺口還有可能是由于其采用的切割工藝造成的，它的造型還可能受到加工工藝的制約的話，那麼這個時期出現的雙連璧、三聯璧、琮形版、雙獸首三孔器等玉器，就不再會是受到玉料形態和製玉工藝制約後的造型，其造型不僅具有實用的功能含義，而且還應當有着某種特殊的寓意。至于紅山文化的像生形玉器，既有飛鳥、龜、鱉、立人等相對寫實的作品，也有玦形龍、勾雲形鳥等相當抽象的作品。在這些玉雕作品中，紅山文化的幾何造形的玉器，除了簡單的玉環外，璧的外緣多作圓角方形，并有縱向雙聯或三聯的玉璧。這些璧、環通常是作爲服飾懸挂在身上，也與三代時期這類玉石器的使用方式基本相同。紅山文化玉龍均爲團身玦形的造型，龍頭多數作兩耳聳立的猪頭狀，所以又被稱作“玉猪龍”；也有少數的龍頭如馬首，背脊上有一道長長的鬃毛。玉鳥基本上都作有頭無頸、伸展雙翅、尾羽寬短的飛翔模樣，其造型是正面對稱的；那種長頸回首、收翅垂尾的卧伏模樣的側面造型，衹在遼寧建平縣牛河梁第十六地點4號墓出土過一例。玉龜僅表現龜的甲殼，而不表現其頭、尾和四肢；玉鱉却表現頭和四肢俱全的正面形象。可以説，紅山文化這些像生形玉雕，其表現手法和造型都可以在以後中心地區商周時期的動物造型玉雕中找到相同或相似的例子。值得注意的是，興隆窪文化和紅山像生形玉器中被後來中國其他地區和文化承襲的造型，衹是那些容易理解的相對具象的造型，那些衹被紅山文化人們知曉的相當抽象的動物造型，如勾雲形鳥等，却没有被其他地區和文化的人們所接受。

在東北地區玉雕藝術產生的稍後，可能受到了東北地區玉雕工藝的影響，長江以南東南地區的玉雕藝術也發展起來。東南地區適宜于人類生息的自然條件本來就優越，早在距今約7000年前就已經有相當發達的稻作農業，出現了星羅棋布的史前人們聚居的村落，而在這些人們的活動區域内，還埋藏着如江蘇溧陽縣小梅嶺村玉礦那樣的玉料。因此，當外來玉器傳入這一地區後，當地的人們也開始利用當地的美石和玉料，仿照外來的這些玉器形式雕琢玉器。分布于今浙江杭州灣一帶的河姆渡文化就出現了玉玦、璜和管等玉器，這些玉器雖然都是用當地產螢石、葉蠟石和瑪瑙等製成，材質不是典型的透閃石和蛇紋石玉，但這些廣義玉料製作的器物却開東南地區玉雕之先河[11]。從那以後，東南地區的玉雕就逐漸發展起來，馬家浜文化、崧澤文化、凌家灘文化、薛家崗文化的一些重要遺址中，都有相當數量的玉石器的發現[12]。這些遺址的玉器質料更加多樣，透閃石玉、蛇紋石玉等玉料都已經得到廣泛的使用；玉器的數量也大大增加，僅在安徽含山縣的凌家灘遺址的三座墓葬中就出土了玉器二百四十一件[13]；玉器的種類也相當多，遠超過了河姆渡文化時期，其中除了玉玦、聯環、猪龍、立人、龜殼玉等或許受到了東北地區新石器文化玉雕的影響外，其餘如玉鉞、璜、璧、梳背等，都有鮮明的地方特色，其造型爲以後東南及其周圍地區的文化所沿用和發展，最後在良渚文化中發展到了登峰造極的地步。良渚文化是距今5300–4000年前左右分布于江蘇南部和浙江北部的新石器文化，該文化的社會分層已經相當嚴重，出現了像浙江餘杭縣（今杭州市餘杭區）良渚古城這樣的修築有兩重城墻的中心都城，出現了不同等級的祭壇和墓地，在這些墓地的墓葬中出土了大量的玉器。這些玉器製作精美，并已經作爲一種等級身份的象徵物。在良渚遺址不同墓地的墓葬中，就隨葬有數量差別明顯、種類品質有别的玉器。玉器種類遠比先前增多，琮、冠狀器、叉形器、錐形器，以及神像、蛙、魚等像生形玉器，都是這時新出現的玉器種類。就是先前已有的玉器種類，這時期的數量也大大增多或形態變得複雜，如璧、璜、鉞、項飾等。這些玉石器中數量最多也最具代表性的造型是類似于後來商周禮玉的幾何形，基本形態有圓形（璧）、半圓形（璜）和内圓外方的立柱體（琮）。最具代表性的玉石工藝成就主要體現在紋飾上，紋飾種類主要是羽冠鳥身神像和神面像，此外還有鳥紋等，雕刻技法多爲纖細的陰綫刻，另有減地淺浮雕和透雕等⑭。這些良渚文化玉石器已經具備了商周玉石器造型的兩大主要系列，即幾何形和像生形玉石器系列，尤其是幾何造型的琮、璧、璜等，以及糅合數種動物的一部分所拼凑的虚幻的神或神面紋飾，對後來長期行用的禮玉造型和紋飾有深遠的影響⑮。

在東部兩大區域早期玉雕工藝的刺激下，黄河和長江中游地區一帶的玉雕工藝也發展起來。這兩個地區新石器文化産生既早且很發達，在河南南陽市和陝西藍田縣都埋藏着容易開采的玉料，因而這一地區也有接受和發展玉雕藝術的自然和文化條件。早在仰韶時代，在與這一地區相鄰的東部沿海地區就已經接受了東北地區史前文化的玉雕工藝，山東大汶口文化中的典型的紅山文化玉聯璧等，就説明了這個問題。以後玉雕工藝在黄河中游地區也逐漸發展起來，到了距今4500年前以後，黄河中游和長江中游地區的史前文化玉器逐漸形成了自己的特色。在黄河中下游地區，龍山時代諸文化中的玉鋒刃器，如從斧發展而來前端有凹形闊刃、器身較長、後部有單闌或雙闌的玉“璋”，前端有鋒，長條形器身兩側有刃，後部有單闌分隔器身和器尾的玉“戈”，長方體、長邊一側開刃、一側有幾個穿孔的玉刀等，都是這一地區很有特色的玉器。在長江中游地區，也是在仰韶時代的大溪文化中就已經出土了玦、璜、環、人像等玉石器。到公元前2500–前2000年或稍後的石家河文化時，玉雕工藝已經發展到了一個較高的水平，除了幾何形的玉璜、璧、琮、柄形器等幾何形玉器外，神頭像、獸面像、飛鷹、蟬等像生形玉器也較多見，并有透雕的鳥形佩、龍形佩等玉器⑯。在黄河及長江中游地區的這些史前玉器中，玉璋和玉戈（圭）成爲以後廣爲使用的禮器，周人所説的六種祭祀用玉器即“六器”，就有圭（戈）和璋⑰，周人所説的六種等級標志的禮儀用玉即所謂“六瑞”，其中四種都是由不同品質和大小的玉圭（戈）組成⑱。這兩種禮器影響深遠，不僅夏、商、周時期的貴族用它們作爲祭祀神靈的禮器和等級關係的象徵，秦漢以後的歷代統治者在祭祀天地四方時也還采用這種造型的玉器。至于神面像，與商周時期仍在行用的神面像的整體造型和細部刻劃都相同，說不定也具有相同的寓意；鳥、蟬、鳥形或龍形的佩等，雕刻技法精湛，可視爲後來像生類玉石雕刻的藍本。

從以上中國早期玉器的起源及其傳布來看，我們可以得到這樣一個印象：玉雕藝術最早發生于東北地區，以後沿着東部沿海地區向南傳播，刺激了東部玉雕工藝的迅速發展。東南及東部地區的玉雕藝術隨後影響到了其西面的長江中游和黄河中游地區，使得這些地區自身的玉雕工藝也發展起來。黄河中游地區即中原地區是中國夏、商、周王朝中心的所在地，這一地區新石器文化從新石器時代中期就已經比較發達。到了仰韶時代，尤其是相當于仰韶文化中期即考古學的廟底溝文化時期，這一地區以彩陶藝術爲代表的藝術形式對周圍四方的新石器文化産生了極大的衝擊。然而到了龍山時代以後，這一地區的文化發展却一度陷入低谷，周圍地區的新石器文化的因素，包括玉雕藝術都因此進入了中原地區。在周邊新石器文化的玉雕藝術共同作用下，夏代以後的中原地區成爲了集史前玉器之大成的區域。就玉器造型來說，不僅夏商周時期的幾何形玉禮器的造型基本上都可以在周邊地區的新石器文化中找到淵源（如玉璋當來自江漢地區和陝北地區，玉璧、玉璜和玉玦則可能有南北兩個來源，玉琮肯定源于東南地區的良渚文化中），而且夏商周的像生形玉器的造型也可與周邊地區新石器文化的同類玉石器發生聯繫（夏商周時期的玉龜和玉鱉的造型有源自東北的紅山文化的迹象，玉神面、玉蟬、團身鳳鳥、龍鳳玉佩很像是從江漢地區的石家河文化中發展過來，三代的正面造型的展翅玉鳥、團身玉龍則有東北紅山文化和南方石家河文化兩方面的印迹）。就玉器紋樣來說，其雕刻手法中的陰綫紋、陽綫紋、溝槽紋、凸棱紋、鏤空紋，都在新石器文化的玉器紋樣中可以找到祖型，其中陽綫紋和溝槽紋可以追朔到東北的紅山文化玉器中，陰綫紋、凸棱紋和鏤空紋在東南地區的良渚文化中已都相當流行。這些紋樣在以後的玉雕工藝中，一直是最基本的紋飾類型，所不同的衹是這些紋樣手法在後來被運用得更純熟、綜合性更高罷了。至于紋飾布局和題材方面，史前良渚文化的神面主紋和飛鳥輔紋，更是夏商周時期的獸面紋的基本形式。中國玉雕藝術，無論種類、造型還是紋飾，其淵源都很古老，其影響也是很長久的。

二．别具深意的玉雕傳統

在人類發明和使用金屬器具前的漫長的石器時代，人類尋找各種堅硬且易于打製的石料作爲工具和武器。人類對美好的事物總是會有追求的，當人們在尋找石器原料的過程中，自然會對某些石質細膩、色彩艷麗的石料發生的興趣，并用它們來精心製作一些比較優良的器具。伴隨着石器製造工藝的進步，石料以及硬度較大的玉料也可以被切割成人們所需要的形狀，器物的表面也被琢磨得越來光滑晶瑩。美麗的材質加上細緻的工藝，使得這些相對稀少的具有美麗色澤的特別石器“玉器”成爲一種珍貴的東西，被當時的族群成員們獻給他們尊崇的族群長老一類領導人。久而久之，這些經常被地位較高的人把握着且經常出現在祭祀等隆重禮儀場所的玉石雕刻的器具，就逐漸被賦予了某種高貴和神秘的意義。

在古文字中，玉器的“玉”字與君王的王字非常相似，都是三横一竪，衹是王字三横筆間的距離相等而玉字不等而已。有學者已經指出，古文字的“王”字是大鉞的象形，本來表現的是君王手持的青銅大鉞，以此來象徵君王的軍事權利，後來才逐漸抽象爲君王本身。那麽，與“王”字形體近似的“玉”字，其文字字源是否也有類似的意義呢？《説文解字》對于“玉”字的解釋是：“象三玉之聯其貫也”，意思是玉字表現的是用綫繩穿起來的三塊玉。古文字專家根據許慎的這個解釋，將殷墟甲骨文的“丰”字也解釋作玉，以爲上面三縱筆就像三股穿玉的綫繩，以後簡化爲一股綫繩，且綫繩上下不出頭⑲。這種解釋未必正確。因爲在古代玉器中，能够用綫繩穿起來的衹是那些帶孔的玉器，如璧環、珠璣一類，“玉”字如果表現的是這類玉器穿起來的側面形象，串連起來的璧環的象形文字應該是幾個圓圈中間加一竪，如“串”字，串連起來的珠璣的側面形象則應當是一竪上面加若干圓點，以象綫繩串起來的珠子。再説，將玉穿起來，這就如同將貝穿起來，没有被穿起來的玉與用綫繩穿起來的玉，它們各自應當有各自的文字，不同的文字應當分别表示不同的含義。關于這一點，郭沫若早就注意到了，他不同意將甲骨文的“丰”字釋爲“玉”字的説法，他指出：“卜辭言‘帝五豐臣’（《粹》十二），或省作‘帝五豐’。其文云：‘癸酉，帝五豐其三牛。’（《後》上廿六十五）……豐字，羅振玉釋玉，以乙亥簋‘玉十豐’爲證，實則彼簋玉字作王與豐字不同。金文從玉之字頗多，無一字從豐者。且此讀爲‘帝五玉臣’，亦大不辭。故豐字絶非玉字。餘意當即小篆豐字。”我以爲郭沫若的意見是值得重視的，甲骨文的“丰”字不當釋爲“玉”字，其理由有三：首先，玉器的“玉”字與銅金的“金”字一樣，都是當時社會的最重要的原材料，原材料一類物質不便于用象形文字表示，這類文字往往出現較晚，且往往用一個已有的文字，這個文字通常是用這類材料製成的最具代表性器具的形象字。古文字中以“玉”和“金”爲偏旁的很多，但這些文字基本上都是西周以後的，商代甲骨文從“玉”之字罕見，從“金”之字闕如，就説明了這個問題。其次，甲骨文從玉之字極少，可以肯定的從玉之字如“璞”字，其字形作“[illegible]”，象手持工具在山崖間開鑿玉料，該字所從“玉”，都是兩端不出頭的

“王”形，没有一字作“丰”形，可見甲骨文的“丰”字，不當釋作玉字。其三，西周金文中從玉之字很多，其中“玨”字表示同樣形態的一對玉器，故《説文解字》以“二玉相合爲一玨”。“班”字，像將一塊玉分開成兩塊，故《説文解字》説：“班，分瑞玉。從玨從刀。”從古代玉器出土的實際情況看，古人製玉時，往往先琢磨出厚度較大的一件玉器，然後將其中分，使得一件玉器成爲兩件玉器。這種相同的一對玉器，古人將其稱作“玨”；而這種將一件玉器分作兩件玉器的行爲，古人則稱之爲“班”。久而久之，“玨”字就逐漸成爲了一種玉器的計量單位，即使不是從一件玉器上切割成的兩件形態相似的玉器，也可以稱作“玨”了。基于以上三方面考慮，我們認爲，“玉”字最初構形應當是像一件玉器，而不是一串玉器，甲骨文中的“丰”、“拜”二字恐怕不能釋作“玉”和“玨”字。那麽，“玉”字的最初構形究竟應當表現的是一件什麽樣的玉器呢?

殷墟甲骨文中有一“亚”字，或釋作玉，或釋作“琮”[20]。該字在甲骨卜辭中，上下兩横筆和中間兩縱筆都相同，不同的是中間兩側的短横筆，有一道、兩道、三道之分（以兩道最多），可見這種短横筆的多寡不影響該字的基本構形。該字在甲骨卜辭中的用法顯示，該字是用于祭祀祖先神的一種貴重物品，如“乙巳卜，賓貞，翌丁未酒、畢、歲于丁，尊有亚”（《合集》4059正），“庚午，貞，王其稱玉于祖乙，燎三牢，……乙亥，酒”（《合集》32535）。我們知道，商周時期舉行燎祭時，往往是把牲和玉一起放在火上燒，使牲的氣味能够依憑玉之靈氣上升到神靈那裏，這種商王親自拿着的與燎祭有關的器物，應當就是玉器。這個玉器的形態，很像玉禮器中琮的側視，很可能商代的“玉”字就是用玉琮來表示。以“亚”來表示玉這種寶貴的材料，字形略嫌複雜，尤其是隨着玉器種類的增加，爲了分别不同的玉器以及與玉相關的事項，以玉爲偏旁的文字也會隨之出現。“亚”作爲偏旁也過于複雜，因而在殷墟甲骨文中作爲偏旁的玉字就進行了簡化，就將兩竪筆合并爲一竪筆，這成爲以後的玉字。由于琮字的字形已經被玉字所使用，後來的琮字也就用從玉宗聲的形聲字來表示。既然“玉”字的字形本來是用玉琮的形態來表示，琮是一塊整玉，如果要表示將一塊玉分爲兩塊，也就可以將“亚”字一分爲二，古文字中的“玨”字表示“二玉相合”而不是兩串玉，應該也是這個緣故。

簡化的“玉”字與簡化的“王”字形體相似，但在殷墟甲骨文的時代，“王”字與簡化的“玉”字是不同的，王字的構形是像一把刃部朝下的大斧鉞。現在的問題是，這把斧鉞的質料是玉石的還是青銅的? 研究者一般會認爲，商周時代已經是青銅時代，商周金文的“王”字構形應當是模仿青銅斧鉞的形態。然而，王權的確立有相當長的過程，“王”這個稱謂很可能在青銅時代以前就已出現，表現王權的符號也不一定在殷墟時期才被創造出來。如果“王”這個字符在原始記事的符號中就存在，它模仿的對象就不會是青銅的斧鉞，而應當是玉石的斧璋了。在殷墟甲骨文和商周金文中，“王”字的上部往往有兩道横闌，我們知道，青銅斧鉞在器身與後尾（古器物學家稱之爲“内”，讀作“納”）之間，衹有一道兩端凸出的界闌，衹有玉璋流行前後雙闌的做法（少許玉戈即玉圭也有雙闌）。由此可證，“王”字的確應當是按照玉斧璋的形態而“畫成其形”的。如果我們對于“王”字和“玉”字形解釋不錯的話，那麽，“王”字表現的是璋一類具有具象象徵意義的玉禮器，而“玉”字則表現的就是琮一類具有抽象象徵意義的玉禮器。這兩個具有相似構形的文字，所表現對象的質料和功能也有所關聯。所不同的是，前一種玉器的原始形態顯然是史前時代的石斧，是一種砍伐用的工具和武器，以後才演變爲純粹禮儀用途的玉璋和青銅鉞。手持這種工具和武器象徵物的人，在史前社會肯定是氏族部落最有力量和權威的首領。王權確立以後，這種玉璋及其相關的由武器演變而來的玉戈（圭），就成爲了擁有天下四方的權力的象徵。上古神話傳説中那些即將擁有天下的君王，往往有“赤鳥銜圭”作爲接受天命的現象，商周時期以圭璋等玉禮器祭祀四方的現象，以及周代擁有封國的諸侯朝覲周天子“返瑾璋”的禮儀[21]，都反映了玉璋和玉戈（圭）的這種作用。後一種玉器的功能目前雖還不能確認，但這種外方内圓、立體分節、四隅有神面的玉琮，顯然與古代天圓地方的宇宙觀念和早期宗教觀念有關，所以後來才有“以蒼璧禮天，以黄琮禮地”的説法[22]。

“玉”字的來源是具有神秘感的用于宗教祭祀的禮儀用玉器，進而以之來代指所有的玉料和玉器，“玉”這個字一開始就與早期宗教、祭祀、禮儀和上層人物聯繫在一起，自然這個文字就會帶有聖潔和高貴的意義。儘管“玉”字最早衹見于商代晚期的殷墟甲骨文中，但玉器在中國新石器時代晚期，尤其是在青銅這種貴重金屬還没有被生産出來和廣泛使用的時期，其高貴地位是無與匹敵的。當時最珍貴的玉器被提供給社會的上層人物使用，這些上層人物除了用玉器作裝飾品裝點自己身體外，還在祭祀祖先神靈等各種公共活動場所上使用玉器作爲禮器，玉器的高貴神秘的觀念在“玉”這個文字産生之前，肯定就已經形成了（當然“玉”這個字符也可能先于文字發明就出現在原始記事的符號之中）。從玉器的廣爲流行到青銅器的發明和推廣，這之間經歷了約數千年之久，玉器的神聖和美好在當時人們的心目中已根深蒂固，因而到了青銅時代，玉器并没有因青銅器的廣泛使用而逐漸消失，它們仍然被廣泛使用，并被賦予了更多的象徵性意義，從而形成了中國玉雕藝術的鮮明特色和穩定傳統。

到了中國青銅時代，玉石器在相當大的範圍内都已經被廣泛地使用，成爲當時權貴追求的奢侈品和祭祀神靈的用具。大概就是由于玉器最先獲得了器用中神聖和高貴的位置，它因此成爲禮器的主要組成部分，古文字中“禮”字在甲骨文中本來就像是用玉裝飾的祭祀用大鼓之形㉓。在殷墟甲骨文和西周金文中有貴族使用玉器的許多記録，從這些記録可知，玉器在當時被用作祭祀神靈或與神靈盟誓的信物，用作覲獻上級或賞賜部下的寶物，用作貴族間的往來禮儀和交换的禮物，以及用作珍寶來裝飾其它器物（如鼓）；玉器的品類有圭、璋、璧、璜等禮玉，也有名目難以確定的其它形制㉔。這種對玉石的注重和偏愛，使得人們在藝術創造上專注于對其天然色澤和自然形態的利用，硬度適宜于雕刻但不具備美麗色彩的普通石料在三代却不大受重視。整個三代時期都缺乏像漢代畫像石和立體圓雕那樣的石刻藝術品，究其原因，除了黄土地帶缺乏石材的自然條件制約外，重視美石而不喜歡普通石材也應當是一個重要的原因。

據我們粗淺的理解，中國玉雕藝術主要有以下三個特色：

第一個特色是，玉雕所用玉料不是普通的材料，它本身藴含有神聖和聖潔等特殊意義。在中國古代衆多材質的器物中，没有任何一種材質的器物像玉器那樣始終如一地受到人們寶愛。這種重視玉器的思想産生于中國的“玉器時代”即龍山時代，當時的知識淵博、智勇出衆、衆望所歸的氏族和酋邦的首領往往佩帶着那時最爲珍貴的玉器製品，并使用包括這些玉器在内的原始禮器出現在祭祀天地四方神靈和祖先的各種場合。質地堅硬細膩、色澤晶瑩絢麗、聲音清脆悦耳的玉器本身也就帶上了神聖和聖潔的含義，成爲神靈依憑的對象和人格道德的化身。玉器的神聖特性首先表現它是溝通人神的中介物，人向神的祈求要附着在這些玉器上才能轉達到神那裏，神對人祈求的答復也需要通過這些玉器來轉達。《尚書·金縢》記載，周武王病重，周公向上帝請求讓周武王病情好轉，并願意因此代替周武王死去爲上帝服務。周公在進行這套祈求儀式時，就需要“置璧秉圭”，并且還説：“爾之許我，我其以璧與圭，歸俟爾命。爾不許我，我乃屏璧與圭。”就生動地反映了玉器的這種功能。正由于玉器有如此作用，古代統治階級祭祀神靈必須要用玉器，至上神將天下賜給地上人王的賜命需要通過玉器，人王將天下的土地人民册封給各級貴族官僚也需要玉器，玉器在這些禮儀活動中的神聖性進一步加强。玉器既然神聖，具有神秘的力量，古人也就認爲可以依靠玉器來趨吉避凶。《禮記·玉藻》：“古之君子必佩玉……凡帶必佩玉，唯喪否。佩玉有衝牙，君子無故，玉不去身，君子于玉比德也。”㉕這種人格和道德的力量來自于先前的傳統和玉器本身的質地、色澤和聲音，所以孔子説：“夫昔君子比德于玉焉。温潤而澤，仁也；慎密以栗，知也；廉而不劌，義也；垂之如隊，禮也；叩之其聲清越以長，其終詘然，樂也；瑕不掩瑜，瑜不掩瑕，忠也；孚尹旁達，信也；氣如白虹，天也；精神見于山川，地也；圭璋特達，德也。” 正由于這様一些原因，中國玉器在青銅時代和鐵器時代没有走向衰落，而是繼續發展和不斷創新：史前玉器的樸素簡練，商周玉器的繁複端莊，漢代玉器的奔放晶瑩，宋代玉器的清新細膩，明清玉器的圓潤純熟，這一切，使得玉雕藝術在漫長的發展歷程中，始終保持旺盛的活力，高峰迭起，綿綿不絶。

第二個特色是，中國玉雕注重玉器本身色澤的表現，使玉料的質料美和色澤美能够充分展現在觀覽者的面前，而不像其他工藝那様，喜歡在作品上敷設其他色彩和附加裝飾紋様。中國著名的青銅藝術，儘管銅料在青銅時代受到社會極大重視，但作爲青銅器却似乎更注重的是“鑄鼎象物”，也就是器物本身的造型，注重的是“百物爲之備”，也就是在器物上裝飾各種有象徵意義的紋様，注重的是將作器者及其祖先的功烈“載諸盤鑒”，也就是在青銅器這種不容易朽壞的載體上銘刻文字。中國最負盛名的瓷器，需要用瓷釉覆蓋在器表，以使器表更光滑和晶瑩。中國的漆器更需要用漆覆蓋在木胎或夾紵胎上，有的還要用彩漆描繪各種花紋。至于普通的雕塑作品，更是要根據所表現人物和動物應當有的色彩塗抹各種顔色。衹有玉雕作品，自史前時代出現以來，就注重保留和凸顯玉的質料和色澤本身，衹有史前個别玉器試圖在某個或某些部位雕琢面積不大的圖案，商周一些玉器喜歡在玉器表面雕刻一些類似青銅器的紋飾，其餘玉器都基本上呈現玉的本色，像生形玉雕也衹是雕琢出這些動物的形體，而不再其上添加這些動物本來没有的紋飾。中國古代玉雕對于玉色的關注，在那些“俏色”玉雕作品中表現得尤爲突出。所謂“俏色”玉，就是利用玉料本身的各種自然色澤，創作造型與顔色絶妙配合的玉雕作品。這種俏色玉雕在商代晚期就已出現，河南安陽市殷墟小屯村出土一件玉鱉，該鱉的背甲爲黑色，而下腹、頭和四肢却爲白色，黑白分明，與真實鱉的色彩基本相同，顯得栩栩如生，其創意高妙之處就在于對玉材的精心選擇，體現了當時製玉工匠對于作品的嚴密構思和盡善盡美的追求㉖。這種刻意利用玉石表皮和玉芯雜質的不同顔色，巧妙構思玉雕作品造型的手法，爲以後玉雕工藝作品普遍采用，宋代的工匠對俏色技藝把握得尤其純熟，使宋玉達到了俏色玉的最高水平。明代的高濂就這様説，“宋工製玉，發古之巧，形後之拙，無奈宋人焉。不特製巧，其取用材料，亦多心思不及。若餘見一尺高張仙，其玉綹處，布爲衣折如畫。有一六寸高玄帝像，取黑處一片爲髮，且自額起，面與身衣純白，無一點雜染。又一子母猫，長九寸，白玉爲母，身負六子，有黄黑爲玳瑁者，有純黑者，有黑白雜者，有黄者，因玉玷污，取爲形體扳附眠抱諸態妙用，種種佳絶。又一墨玉大玦，全身地子靈芝俱黑，而雙螭騰雲捲水，皆白玉身尾，初非勉强扭捏。又若瑪瑙蜩蟬，黑首黄胸，雙翅渾白明亮。又一彌勒，以紅黄纏絲，取爲袈裟，以黑處爲袋，面肚手足純白，種種巧用。餘見大小數百件皆然，近世工匠，何能比方。”[27]實際上，宋代以後，俏色玉的雕刻工藝仍然在繼續發展，舉凡像生類玉雕如人物、動物和植物，大場景的玉山一類陳設，工匠都會運用俏色玉的手法，使玉雕作品的自然雜色成爲作品的“點睛”之色。

第三個特色是，玉雕工藝重視“物盡其用”的原則，往往根據玉料的形態來進行玉雕作品的造型設計。玉石雕刻與普通石雕不同，普通石料容易取得，可以大幅度地去掉雕刻所要表現對象以外的多餘的石料；玉石是一種貴重石料，質地又十分堅硬，不可能隨意將玉料多餘部分去掉并將多餘部分用作其它用途。中國古代玉石原料產地最著名的就是産于今新疆于田縣境内的和田玉，這種玉石所在山脉自古以來就稱爲昆侖山或簡稱昆山，在山麓的古國有大夏和月氏（禺氏）等國，所以先秦至漢代又稱爲“昆山之玉”、“禺氏之玉”[28]。這種玉料石質細膩純净，色彩晶瑩美觀，自古受到産地以東人們的喜愛，成爲製作玉石工藝品的首選原料。根據對河南安陽市殷墟婦好墓、江西新干縣大洋洲大墓等幾批大宗玉石器群的質料鑒定結果，這些玉石原料多數都不是出土地附近所産，而是來自遥遠昆侖山脉[29]。這些玉石原料千里迢迢通過高原上的商道運到中原及其周邊地區，被輸送或賣到玉石雕刻作坊進行琢磨和雕刻，製成滿足貴族祭祀禮儀和日常生活需要的各種工藝品。由于原料的貴重，當時的玉石雕刻的工匠們在考慮玉石總體造型時，一般首先選定符合所要表現題材的大致形態的玉石原料，然後根據玉石的形狀構思其造型輪廓，最後才運用雕刻技法來表現自己的構想。這種根據玉石原料的形狀來創作玉石工藝品的做法可能早在史前時代就已經出現，但史前早期玉石器往往造型簡單，一般玉石雕刻所使用的玉石材料多先加工爲玉石板材，不需要根據玉石原料的形狀來構思創作玉石雕的外形輪廓。商周以後玉石雕刻種類複雜多樣，玉石雕刻作坊同時要滿足貴族各方面的要求，這就要求工匠在雕刻前，既根據所要表現的題材來選擇玉料，又要在雕刻過程中努力使造型與玉料的形狀相吻合。中國古代玉石雕刻作品中這類巧妙地利用玉石材料自然形狀的例子很多。古代的製玉工匠在玉料的切割時，往往把一塊玉料切割爲很多内有穿孔的圓筒形，然後將圓筒分割爲若干璧環形坯料，或者再將一些璧環形坯料分割爲若干個璜形坯料。工匠往往巧妙地將這種璧環形玉石坯料雕刻爲團身夔龍的形狀，而把璜形玉石坯料雕刻爲虹形龍或躍起之魚的形狀。立體玉石雕刻也是如此。殷墟婦好墓出土的青玉卧虎，是用一塊長條形玉雕琢而成，爲了充分利用原玉料，工匠把虎表現爲伏卧在地上的形狀，虎身做得很長，四肢却做得短小，虎頭也刻得很大，占據了身長的三分之一，虎尾却相對短小。這種將表現對象進行變形處理的作法，從某種角度來説，它是對老虎相對瘦長的身軀進行了誇張；

但從另一個角度觀察，則是對玉石材料的合理利用[30]。在古代玉雕中，有許多成雙成對的玉石雕刻，這些玉雕在玉材的分解時就已經考慮到了需要數量和造型的需要，將一塊玉材切割爲相同的兩分，并製作兩件造型基本相同的作品。春秋晚期的河南淅川縣下寺楚墓出土的兩件玉虎，是從同一塊青玉料上分解出的一對，虎的造型完全相同，都作當時流行的躬腰凸背、俯首垂尾的姿勢，造型與璜非常相似。這對虎是先用一塊玉料雕成雙面都有相同紋飾的玉虎，然後從中央切割開來，成爲一對僅有向外一面有紋飾的佩玉[31]。類似的現象在商周時期的玉石雕刻中常見，説明那時的玉器工匠在玉料的選擇和使用方面已有比較審慎的考慮，真正做到了物盡其材和物盡其用。

三、紛繁多樣的玉雕種類

玉雕作品受到玉料的限制，體量通常很小，種類却很多。根據不同的標準，可以對玉雕進行不同的分類——就材質來説，玉雕可以分爲兩大類，一類是翡翠這類硬玉的雕刻，一類是透閃石和陽起石一類軟玉雕刻；就色澤來説，除了青翠的翡翠玉雕外，軟玉還可以分爲白、黄、青、緑、墨諸種；就造型來説，玉雕有幾何形的，也有像生形的，還有仿照山水繪畫的複合形的；從功能上來看，玉雕更可以劃分爲禮儀、佩飾、喪葬、觀玩、陳設諸類。我們知道，玉雕本身不是純粹展示給他人觀看的雕塑品，它們往往都具有使用功能（無論它是實際的使用功能還是象徵的使用功能）。因此，首先從功能着眼對玉雕進行分類，在功能分類的基礎上，再進行造型等方面的分類，可以從中發現更多的歷史信息。

下面，我們就按照玉雕的功能，將玉雕作品劃分爲祭祀禮儀、裝飾佩帶、喪葬迷信、陳設觀玩、實用器具五大類進行概述。

（一）祭祀禮儀用玉

禮儀用玉泛指用于祭祀自然和祖先神靈、貴族成年和結婚、標表權貴身份等級和聯繫各級貴族間關係等禮儀活動的玉器。這些玉禮器在晚周的文獻中被歸納成所謂“六器”和“六瑞”。《周禮・春官・大宗伯》説：“以玉作六器，以禮天地四方：以蒼璧禮天，以黄琮禮地，以青圭禮東方，以赤璋禮南方，以白琥禮西方，以玄璜禮北方。”“以玉作六瑞，以等邦國：王執鎮圭，公執桓圭，侯執信圭，伯執躬圭，子執穀璧，男執蒲璧。”按照晚周時期人們的解釋，“六器”應當就是用于事奉天地四方自然神的六類不同形狀和色澤的玉器，其中包括了“圭”、“璋”、“璧”、“璜”這四種不同形態的幾何形平板狀玉雕，一種幾何形立體玉雕“琮”，還有一種好像是像生形玉雕“琥”；而“六瑞”則應當是用于鎮守邦國和區別尊卑關係的兩個系列的幾何形平板狀玉器，一個系列是大小不同的四類玉“圭”，一個系列是花紋不同的兩類玉“璧”。從玉石器形態方面着眼，所謂“六器”和“六瑞”中的幾何形玉器并没有什麽不同。

在“六器”、“六瑞”這些中國古代的傳統禮玉中，最重要的當推源自石製武器或工具的玉圭。它既是祭祀天地四方和祖先神靈的祭器，又是接受天命和册命諸侯的信物。玉圭有大小長短的差异，用作象徵身份等級的標志[32]。這種具有神聖意義的玉圭的形態，按照東漢許慎《説文解字》的解釋是“上圜下方”或“剡上爲圭”。上端爲圓弧形、下部爲方形的玉器在三代極其罕見，上端鋭利有鋒的玉器却很多。漢人石刻畫像六玉圖中的玉圭均作上端對稱收殺成鋒、下端爲矩形的長條狀，這種形態的玉圭在三代也比較少見，且主要見于東周時期。在商周時期的墓葬中，按照文獻記載該雙手秉圭的高級貴族手中所捧的却是“玉戈”；在文獻記載中的飾棺用具“翣”的頂端所戴的圭，考古發現的實物也多爲“玉戈”；在傳世和發掘所獲玉戈形器上或有丹書文字，這也與文獻記載的圭上寫有丹書册命的情况相合。這些現象都説明，在先秦時期，大型玉戈也就是玉圭，玉圭是從史前社會象徵性兵器演化而來的禮器。與圭功能和形態相近的還有璋，它的來源與作戰或生産使用的石斧有着密切的聯繫。真正實用的軍斧在長期使用過程中刃部會磨損，形成斜刃和凹刃，作爲禮儀用器的玉璋也將石斧的這些使用痕迹模仿下來，就形成了比較典型的斜刃和凹刃的璋。這些玉璋在夏、商兩代的發展中[33]，其刃部的内凹弧度越來越大，刃部的傾斜程度也越來越大，形態也與真實的斧越來越遠，其中刃部傾斜的玉璋經過漢代文獻的詮釋以後，就成爲後世人們觀念中玉璋的標準形象。玉圭和玉璋在秦代以後的整個古代王朝中一直作爲古代禮器被保存着，其中由玉圭演變而來的不同質料的策、册、笏等，一直是古代王朝重要禮儀活動中用器。

圭和璋在玉器的形態分類中都屬于直方類，與之不同的圓環類的禮玉是璧和璜。璧是一塊中央有圓孔的圓玉石板，但中央圓孔與整個圓板的比例大小不同，古人却又給予了不同的名稱。《爾雅・釋器》説：“肉倍好謂之璧，好倍肉謂之瑗，肉好若一謂之環。”（“肉”即玉石圓板實在的部分，“好”是指玉石圓板中空的部分），對于《爾雅》這個解釋，研究古玉的學者有不同的理解[34]。不過從考古材料與文獻材料對照看來，古人似乎是用“璧”來泛稱所有的中有圓孔的圓板狀玉器。玉璧在先秦時期除了用作佩飾用玉外，主要是用于祭祀祖先或其他各類神靈[35]，還頻繁使用于貴族之間的交往和饋贈[36]。此外，玉璧也還用作殮尸（《周禮・春官・典瑞》）。在考古材料中，玉璧除了單獨鋪蓋在死者身上或鋪墊在死者身下外，有時還與玉石圭一起放在死者胸前，如山西曲沃縣北趙晋侯墓地晋獻侯蘇墓等[37]，這正與上引文獻中“植璧秉圭”的形象有幾分吻合。璜是璧的一部分，《説文解字·玉部》説“半璧爲璜”，實際上玉璜實物往往衹是璧的三分之一。璜在禮玉中雖不像圭、璋、璧那樣顯要，却也是一種重要的禮玉，在三代傳國寶器中，就有“夏后氏之璜”這樣的重器㊳。

在中國古代的禮玉中，琮是一種比較特别的器物，其它禮玉要麽是直方形要麽是圓方形，琮却爲二者的結合體，是外方内圓的立體空筒。這種複雜的玉琮在史前的龍山時代，就已經散布在黄河流域和長江中下游地區，尤其是在東南地區的良渚文化中極爲盛行，大量出土于墓葬之中。琮的造型很複雜，它所模仿的具有實用功能的器物種類不容易被確定，後來的研究者對于它的造型依據産生了種種猜測，最深奥的一種説法是認爲它兼有天圓地方兩方面的特徵，是古代中國宇宙觀的象徵和巫師通天降神的聯繫路徑㊴。這樣一種具有複雜造型和不很明顯象徵意義的器物，在很早的時候就被如此廣泛地區的人們所采用，説明它不可能是這些地區的人們分别發明的，而應當是文化傳播和古族遷徙所致。夏商周時期，琮的使用雖已遠不如史前時期流行，但直到周代末期及其以後，它仍然被列爲玉禮器的“六器”之一，被用在“禮地”和其他祭祀禮儀中㊵。

古人對禮玉“六器”的分類中，還有一種不屬于幾何形玉器的“白琥”。顧名思義，琥應當是造型如虎的像生類玉器。某種像生類玉器在史前時期的某些族群中可能具有神祇象徵、族群標志、人神中介一類作用，被用在宗教祭祀等場所中。不過，到了青銅時代以後，這些像生類玉器所包括的指徵或象徵意義大多已經被忘却，衹有像“白琥”這樣的玉器還被列入禮玉的行列。

禮儀用玉受到社會極大關注的時代是新石器時代晚期及夏商周時代，以後部分禮玉儘管在一些重要祭祀禮儀活動還可以見到，但它已經成爲喚起人們復古意識的一種道具，在當時社會生活中已經無足輕重。不過，由竹編簡册演化而來的玉册、由青銅禮器演變而來的玉“五供”、模仿佛教法器的玉“七珍”和“八寶”等，這些可以歸屬于廣義禮儀用玉的宗教祭祀用玉，在後來也作爲高等級的禮器在使用。

2、裝飾佩戴用玉

先秦貴族習慣隨身佩玉，所謂“君子無故，玉不去身”，佩玉是貴族身份和德行的象徵。這種佩玉是由多種玉器按一定的組合模式聯綴而成的成組的佩飾。《周禮·天官·玉府》記玉府的職掌有“共王之服玉、佩玉、珠玉。”鄭玄注引《詩傳》説：“佩玉，上有蔥衡，下有雙璜、衝牙，蠙珠以納其間。”㊶這種由多種不同的玉器組成的玉佩又稱“雜佩”，《詩·鄭風·女曰鷄鳴》有“知子之來，雜佩以贈之”的詩句，毛傳：“雜佩者，珩、璜、琚瑀、衝牙之類。”這些不同名目的玉件的組合情况，《大戴禮記·保傅》有比較具體的描述，它是“上有雙衡（即珩），下有雙璜、衝牙，玭珠以納其間，琚瑀以雜之。”據此可知，當時的佩玉是珩（衡）在上，其下爲璜和衝牙，用絲綫穿戴的繽珠、琚瑀則是聯繫這些主要玉器的紐帶。從考古發現的玉佩可知，上述文獻所描述的周人佩玉實際上是東周晚期高級貴族佩玉的基本類型，在這之前佩玉已經有着相當長的發展歷程和多種等級差异和男婦差异，西漢以來人們追述記載和復古製作的玉佩，衹是春秋晚期以來高等級玉佩留在後世人們心目中的記憶。不過這些記憶因是後來所知道的最早文獻記載，因而在喜歡復古的中國古代社會中，這種相對比較單調的玉佩樣式却成爲了一種標準模式，從秦漢以後延續了兩千多年。

中國早在新石器時代就已經出現了簡單的佩玉。在東南地區，佩玉的雛形開始于河姆渡文化，到了其後崧澤文化的北陰陽營遺址的墓葬中，死者胸部已經發現了多組璜、管等組成的佩玉[42]。上海青浦區福泉山遺址的良渚文化墓葬中，更出現了由玉管、珠、錐形器或由玉管、璧環、錐形器組成的項飾[43]。這些項飾儘管有些已經比較複雜，但它的玉組件都是穿連在項圈周圍，還没有下垂到胸前形成胸佩的形式。直到商代，佩玉仍然比較簡單，江西新干縣大洋洲大墓在相當于墓主棺内的位置上出土了一串緑松石琢磨的項飾，與史前玉石項飾没有什麽區别。佩玉的真正變化出現在西周中期，這時期的佩玉開始在項鏈下方增加一圈圈的用珠子串聯起來的玉璜和玉璧，并且還出現了專門的由玉牌及其下面的串珠組成的女性單組胸佩，裝飾部位的重點從頸部轉移到了胸部和腹部。這時期的佩玉還出現了一種新的類型，如北趙晋侯墓地的晋獻侯蘇墓的玉佩，就開始脱離項鏈的束縛，原先挂在脖子上的玉佩上端改繫在了肩以後的帶子上。這類玉佩儘管在西周和春秋時期還不是玉佩的主流，但到了戰國以後，玉佩不僅上端不再聯繫在一起挂在頸項上，而且下端也不再聯繫在一起，雙組下端相連的玉佩讓位給了單組或三組下端不連的玉佩。單組或三組下端不連的玉佩，在其裝飾部位開始從胸腹部向身體下部轉移，其繫連部位的上端也從頸部或身後下移到了腰帶上。這種新的玉佩形式，發展到西漢以後，儘管繫玉佩的部位已經從身體正面移動到身體的兩側，組成玉佩的珩、璜、衝牙等玉件也變得較小，但其基本形態和組合却没有多大變化。兩漢末期，社會動蕩，古代流傳下來的玉佩幾近失傳，雖然經過東漢明帝和曹魏王粲兩次復造[44]，把東周以來高級貴族的玉佩形式基本保存了下來，但這種保持古制的玉佩比先秦和西漢已經簡單化、程式化了。由于玉佩的玉件變小，且位于身體一側的位置，這種玉佩在服飾用玉中的作用開始减弱。儘管如此，漢魏時期的這種程式化的玉佩對以後影響極大，陝西乾縣唐永泰公主墓出土的玉佩、北京昌平區明十三陵定陵中出土的玉佩，都還保持這種模式。

作爲人身裝飾的用玉，除了懸挂在脖子上或腰帶上的玉佩外，高等級腰帶本身也需要用玉來妝點。早在良渚文化時期，貴族就已經用玉來製作帶頭，浙江餘杭良渚遺址反山墓地死者腰間出土的玉帶頭，就是其例。戰國及秦漢時期，帶鈎流行，玉帶鈎和嵌玉的金屬帶鈎在一些高級貴族墓葬（如湖北隨州市曾侯乙墓、河北平山縣中山王墓等）中也有出土。大概從南北朝晚期開始，裝飾玉件的革帶就成爲高級服飾用玉的主體，到了唐代，三品以上高級文武官員使用玉帶已經成爲制度㊺。古制的玉佩和新制的玉帶衹是高級權貴在特定場合的服飾用玉，至于一般官民和一般場合的服飾用玉，主要是拴在衣帶上的玉環等單個玉件，組合型的玉佩已經基本淡出歷史舞臺了。

單件的佩戴用玉産生最早，最早出現的玉玦就屬于佩戴用玉。在以後的歷史長河中，佩戴用玉始終是玉器的最主要的種類之一。除了單件的璧、璜、玦、環、觽、韘長盛不衰外，各種動物、人物、花鳥、魚藻、春水、秋山等小型玉雕，往往也可穿繫在衣帶上作爲裝飾。自從東周時期貴族男性開始流行佩劍後，隨身佩劍自然也就逐漸成爲重點裝飾的對象。晚周時期人們的佩劍，除了裝飾，還講究實用，故注重用金銀錯和鑲嵌工藝來裝飾劍的本身；秦漢時期佩劍的實際用場已經不多，用玉來裝飾劍首、劍格和劍鞘也成爲當時的時尚。傳世和出土的秦漢銅鐵劍，有一些就屬于裝飾有玉器的“玉具劍”。

3、喪葬迷信用玉

早在史前時期，當時的社會上層就將大量玉器用于自己死後的隨葬品中。隨着時代的推移，以及玉器象徵意義的提升，隨葬的喪葬用玉也逐漸被神秘化了，被人們誤以爲具有保存死者尸體的作用。至遲從西周中後期開始，周人貴族就除了在死者尸體周圍和棺椁内擺放大量死者生前使用過的玉器外，還在死者臉上覆蓋仿照人臉的玉覆面，在死者服裝上縫綴玉片，并且在死者棺外放置頂端有玉圭的儀仗——“翣”㊻。到了東周晚期以後，喪葬玉器逐漸走向專門化，除了先前的玉琀和玉握外，高級貴族死後還要根據不同的等級穿上用金、銀、銅綫縫綴起來的玉衣（柙），死者頭下要墊玉枕，棺上要裝飾玉璧；普通官民也儘量尋求玉件將死者的七竅甚至九竅遮蓋或堵塞起來，漢墓大量出土的玉石七竅塞或九竅塞，就是當時這種喪葬觀念的反映。漢人重厚葬，兩漢時期是中國喪葬用玉發展的一個高峰。從那以後，專用喪葬用玉開始衰落，但死者口中的玉琀和玉塞，死者雙手把握的玉猪等玉握，在以後的喪葬禮儀中還長期存在。

在喪葬用玉中，玉衣是比較特别的，衹在晚周和漢代小範圍使用。這種玉殮具可能來源于佩帶在死者身上的實用的玉佩，這些玉佩有的本來是生人所用，有的則是專爲死人製作。專爲死者製作的玉佩逐漸脱離了實用的要求，玉石用料較差，玉材也往往輕薄，有的還干脆縫在死者的衣衾上。山西曲沃縣北趙晋獻侯墓地晋侯蘇墓的墓主胸部有四塊很薄的長方形玉版，腹部和腿部都有帶綴的大而薄的柄形器，這些玉石器的兩端往往有很細的陰刻横綫，應當就是縫綴綫位的指示符。這種縫綴玉石在死者身上的作法在先秦時期還未形成完全覆蓋死者的玉衣或玉匣，但它却無疑可以視爲漢代玉衣的雛型。漢代具有等級規制的金縷、銀縷、銅縷玉衣，就是從先前周人貴族的葬玉禮制發展而來的。河北滿城縣中山王劉靖夫婦墓出土的兩具玉衣及其相關玉殮具，就是中國古代喪葬用玉發展到極致的代表性遺存。

自從佛教傳入中國後，對佛真身舍利的崇拜逐漸成爲一種大衆信仰。這些信衆將外來的建塔保存佛舍利與中國傳統的用棺殮尸的習慣結合起來，在塔的地宫中用多重棺椁來保藏佛舍利，其中有的小棺椁就是用玉製成，陝西扶風縣法門寺塔地宫出土的水晶椁和玉棺即其一例。

4、陳設觀玩用玉

陳設用玉是指擺放在房屋内的具有觀賞作用的實用和裝飾用玉，包括那些主要用作擺設的玉質容器、文具等。上古時期，玉器使用廣泛且玉料開采有限，再加上宫室裝飾也比較樸素，玉器很少用作室内陳設。不過，上古宫室建築的室内空間不大，人們采用的也是低坐的方式，家具和陳設體量也較小，故體量不大的玉器也在裝飾室内空間方面發揮了作用。最早被用作陳設的玉器是玉鎮。“鎮”是放置在竹編或草編的坐席四角，鎮壓坐席使之平整，以防席角翹起有礙觀瞻以及牽挂人衣裳的一種室内陳設，這種器具有玉、金、銅等多種質地，其中玉質的最爲古人所重。文獻中描寫室内陳設的高貴華麗時往往會提到玉鎮，《楚辭・九歌・東皇太一》“瑶席兮玉鎮，盍將把乎群芳”等詩句，即其一例。由于玉鎮比較珍貴，傳世玉鎮有的雕琢得非常精美，如北京故宫博物院藏螭虎形玉鎮。考古發掘出土的玉鎮少見，春秋戰國之際的浙江紹興市印山大墓出土玉鎮多枚[47]。戰國晚期以後的陳設用玉種類稍多，如座屏、器具等，但這類玉器成爲玉器中的大宗還是在宋代以後。

從宋代開始，陳設用玉數量大增，種類翻新。除了比較傳統的模仿動物和表現仙靈的造型的玉器外，擺放在桌案上的模仿古代和當時其他質料的器物製作的玉容器，模仿自然瓜果和山石林木雕刻的玉陳設，放置筆、墨、硯臺的玉文具等大量出現。各種動物造型的玉雕源自遠古，隋唐以後新出現的是花卉、折枝等植物造型，以及動物和植物合一或動物與自然合一的花鳥、林獸、雲龍等玉雕。這些玉雕，有的帶平底和插銷可以擺放在座子上作陳設，有的則可以拿在手中把玩觀賞，有的還可以穿帶繫挂在身上作爲裝飾，其用途未必單一。用玉製作容器始于商代，器類衹有玉簋一種。秦漢時期玉容器種類增多，器類也集中在深腹的杯、卮、尊、盒等不多幾類。這些玉容器，有的可能如其他材質的同類器物一樣，有其實際的專門用途，但在平時不用的時候，恐怕就是一種觀賞擺設。從宋代開始，隨着復古之風的盛行，雕琢了不少仿照先秦青銅禮器造型的玉容器，如鼎、簋、豆、尊、壺、匜等，這些器物在當時早已不再具有實際功能，它們是室内陳設而非禮儀或生活用器，這是可以肯定的。山形玉陳設在唐代的北京房山區史思明墓中就有出土，宋以後日益複雜多樣，除了小型擺件外，清代還有如“大禹治水圖玉山子”等高達兩米多的鴻篇巨製。在陳設類玉器中，玉雕的人像和神像是藝術性很高的類型，佛像、觀音等玉雕像本身雖然是供奉對象，但這些雕像同時也應有陳設的作用。至于布袋和尚、羅漢、彌勒、善財童子等玉雕像，其陳設的作用恐怕更大于供奉的需要。

觀玩用玉是供人把玩，没有特定禮儀作用和裝飾作用的玉器。這類玉器的來源，本來是具有宗教意義的動物造型的崇拜物，也有一些是人物形象，在這些像生類玉器的原先意義被遺忘後，它逐漸成爲供人們觀賞和把玩的玉器種類。經常被人拿在手中把玩的玉器，當然以立體的而不是平板的更適宜，立體的像生類玉器有利于提高作品的表現能力。此外，這類玉器因不受當時禮法和習俗的約束，也給製玉工匠更多的自由想象和創作的空間。在相對自由地陳設用玉器大量使用之前，觀玩用玉集中體現了當時玉器造型和雕刻的藝術成就，是玉雕藝術的主要代表之一。

最早的觀玩用玉何時出現？這是一個很難回答的問題，因爲後來作爲觀玩的玉器早期未必就没有其他功能。可以確定的觀玩用玉石在商周時期已有，集中出土的主要有兩批：一批出自河南安陽市殷墟婦好墓中，另一批出自山西曲沃縣北趙晋侯墓地的晋穆侯夫人墓中[48]。這兩批玩玉的主人都是貴族婦女，婦好據研究是商代晚期商王武丁的配偶之一，晋穆侯夫人楊姞是晋穆侯兩位夫人中的一位。婦好墓的這批玩玉的出土情况因發掘原因已經不太清楚，晋穆侯夫人墓的全部玩玉却都是裝在一個用銅作框架的盒子内，顯見是她生前喜愛的玩物。玩玉一般作各種動物或人的造型，婦好墓的玩玉種類計有人、龍、鳳、虎、象、熊、鹿、猴、馬、牛、羊、鳥、龜、鱉、螳螂、蟬等，晋穆侯夫人墓的玩玉種類也很多，如人、牛、馬、羊、熊、鹿、鷹、梟、龜和不能確定名字的鳥雀等。它們大多爲圓雕作品，多數造型優美，姿態生動，不僅反映了商代晚期至西周末期玩玉的種類，而且是中國上古時期動物造型的玉石雕刻工藝的代表性作品。

玉石板材雕刻的玩玉數量最多，這類玩玉可以繫挂在衣服的帶子上，比較容易携帶。玉石板厚度有限，不可能完全表現所要雕刻對象的全貌，所得到的衹是它們前後兩面或左右側面的形象。兩條腿的人物和鳥類動物容易表現前後兩面的情况，但四足的獸類動物則更適宜于表現它們的兩個側面，古代的玉石工匠也正是這樣來處理平面玉雕的造型的。平面玉雕的題材在商周時期以魚和鳥最多，造型也最爲豐富多彩。玉魚的造型根據玉石材料的切割情況，長條形直玉板就雕刻作静態的，圓弧形玉板就雕刻成動態的，好似從水中高高躍起的模樣。玉鳥的造型根據玉板的形狀，有的作正視的展翅翱翔的姿態，有的作側視的收翅栖息或展翅高飛的形象，後一類的數量尤多，其尾巴或長或短，或揚或垂，生動簡練。其它一些比較少見的玉石動物，儘管工匠們處理它們不像經常雕刻的魚、鳥等那樣隨意，但正因爲没有固定的模式可以遵循，往往却有立意脱俗的上乘作品。除了動物的玉板雕刻外，還有一些玉石平板雕刻的人物形象。人物有正面和側面兩種造型，正面的人物造型都爲立像，其變化在人的雙手的位置：新石器時代的玉立人雙手捂着胸口，如安徽含山縣凌家灘遺址1號墓玉立人；商周時期的玉立人雙手或垂放身旁，或抄手置于腹部，如山西曲沃縣北趙晋侯墓地出土的兩件玉立人；漢代的玉立人通常作長袖舞姿，一手在上而一手在下。側面的人物造型通常相當抽象，人像的造型基本上都作蹲踞的姿態。較早的商代後期側身玉人像還比較形象，蜷曲的上下肢可以清晰地分辨（如殷墟婦好墓側身玉人像）；而較晚的西周後期的側身玉人上肢已經被抽象爲龍首形，頭上和身下也往往添加夔龍等裝飾，使人像具有某種神性（如晋穆侯夫人墓側身玉人像）。

兩晋南北朝後，禮儀和喪葬用玉的數量大大減少，陳設觀玩玉器和裝飾佩戴玉器逐漸成爲玉器的主流，一直影響到今天。

四、不斷進取的玉雕藝術風格

中國古代玉雕藝術出現以後，隨着玉器在社會中功能的變化，琢玉技術的進步和雕刻手法的變化，玉雕藝術的風格也在不斷的發展變化中。對于中國玉石雕刻藝術的發展演變的總體狀况，楊伯達先生曾“以考古發掘品爲主要依據，參照文獻記載與傳世佳品，將中國古代玉器工藝美術發展的歷史，分爲孕育、成長、嬗變、發展、繁榮、鼎盛六個階段”[49]，其中形成期爲新石器時代，成長期爲夏商西周時期，嬗變期爲春秋戰國時期，發展期爲秦漢魏晋南北朝時期，繁榮期爲隋唐五代宋遼金時期，鼎盛期則爲元明清時期。楊伯達先生的這篇論文，是目前關于中國玉石雕刻藝術發展歷程的最全面的解釋和闡述，代表了當時學術界對這些問題的認識水平[50]。不過，從中國玉石工藝地域性的存亡、玉器功能和種類的變异、雕刻藝術風格的轉化等多方面來考察，楊伯達先生中國玉石器發展史“六階段説”在分期的層次和節奏上還存在一些問題，尤其是各階段的起止年代受到了較多的歷史朝代轉變的制約。考慮到玉石雕刻藝術發展的上述各種因素，中國玉石雕刻藝術應當劃三個時期十三個階段：

第一期：新石器時代中期至青銅時代初期，其年代爲公元前6000年到前1300年。

這是中國玉雕藝術産生的時期，也是玉器傳統的逐漸形成時期。玉器在這一時期是寶物，也是高等級藝術品的代表，最重要的祭祀禮儀用器都爲玉器，中國玉禮器中的“六器”和“六瑞”，玉佩中的“德佩”的基本組件都在這一時期形成，中國組玉佩的基本組件和一些像生類玉雕的基本造型也定型于這一時期。由于文化傳統的不同和地域間文化交流的相對困難，這時期中國的玉器具有很强烈的地域特色，先後形成了東北、東南、華中、中原等幾個各具特色的早期玉器工藝區。據説東周時期的風胡子曾經這樣説過，“軒轅、神農、赫胥之時，以石爲兵，斷樹木、爲宮室死而龍藏；夫神，聖主使然。至黄帝之時，以玉爲兵，以伐樹木、爲宮室、鑿地；夫玉亦神物也，又遇聖主使然，死而龍藏。禹穴之時，以銅爲兵，以鑿伊闕、通龍門、决江導河，東注于東海，天下通平，治爲宮室，豈非聖主之力哉。”把以玉料製作武器作爲介于用石料和銅料製作武器之間的一個發展階段[51]。當代中國的一些考古學家根據史前一些早期文明出現大量玉器的事實，也提出了中國龍山時代也就是傳説中的“玉器時代”的觀點[52]。從關鍵技術和生産工具在古代社會發展中的地位和作用的角度來看，玉器當然不能與石器、銅器和鐵器一起放在同一層面相比擬；不過從藝術史的角度來看，把玉器作爲中國藝術發展史的一個具有重要地位的發展階段，則很符合中國藝術史的發展規律和特徵。我們可以將這個時期稱之爲“玉器種類創造的時期”或“史前玉器時期”。

這一時期大致可以細分爲五個階段：

第1階段：中國新石器時代中期即前仰韶時代（約公元前6000–前5000年）。這時期的玉器主要集中出現在東北地區，尤其是東北地區的興隆窪文化中。玉器種類單調，衹有玦、匕、斧、鑿、管等飾件和工具，其中玉玦分布最廣，數量最多，對後世影響最大，也最具有代表性，故有學者稱這一階段爲“玦的時代”[53]。此外，模仿骨匕（由半邊骨管製成）的玉匕也是這時期主要的玉器種類，它的造型也深深影響到了後世，直到數千年後的四川成都市的金沙遺址中還有不少這個形態的玉匕出土。

第2階段：中國新石器時代晚期即仰韶時代（約公元前5000–前3000年）。這時期的玉器也基本分布在東部地區，其中東北的紅山文化玉器發展到這個地區玉雕藝術的高峰，江淮地區的凌家灘文化、江南地區的北陰陽營文化、崧澤文化等也都流行開了玉器。這時期有地位的權貴墓葬，玉器已經作爲一種最重要的隨葬品，被放置在死者頭下、身邊和身上。玉器的種類增多，已經形成了格式化了的動物造型（像生形）和具有某種特别含義的幾何造型兩大系列[54]，前者如龍、鳥、龜、鱉、人、獸面形器、勾雲形器等，後者如璜、環、玦、璧形器、匕、斧等。玉龍均爲團身圜環狀的造型，龍頭多如猪頭；玉鳥都作有頭無頸、伸展雙翅的正面造型；玉龜僅表現龜的甲殼，而不表現其頭、尾和四肢。幾何造形的玉器，除了簡單的環外，這時期的玉璧，其外緣多作圓角方形，并有縱向雙聯或三聯的造型，與後來的玉璧差异還較大；玉璜中大多數璜體還顯得較窄，却已具備了後來玉璜的基本形態，可以將此期稱作“璜的階段”。

第3階段：中國新石器時代末期龍山時代前期（約公元前3000–前2300年）。這是史前玉器發展的高峰時期，在這個時期，玉器的分布範圍進一步擴大，并出現了像良渚文化那樣的將史前玉雕藝術發揮到極致的古代社會。這時的玉器已經作爲一種等級身份的象徵物出現在不同等級貴族的墓葬中，玉器數量大大增加，種類更加多樣，有幾何形造型的玉器如琮、璧、璜、鉞、鐲、項飾，像生形造型的玉器如人、鳥、龜、蛙、魚等，此外還有冠狀器、叉形器等。這些玉石器中數量最多也最具代表性的造型是璧和琮，可以將這個階段稱之爲“璧和琮的階段”。在這個階段，玉器上開始出現了紋飾，紋飾種類主要是羽冠鳥身神像和神面像，此外還有鳥紋等，雕刻技法多爲纖細的陰綫刻，另有减地淺浮雕和鏤空透雕等[55]。這些紋樣中的神像和神面紋，不少學者都認爲與商周紋飾有先後的承襲和源流關係[56]。

第4階段：中國銅石并用時代即龍山時代後期（約公元前2300–前1800年）。在這個時期，除了長江上游的西南地區外，玉雕藝術在許多區域都已經發展起來。幾何形玉器種類除了前一階段的種類外，斧形的璋和戈形的圭也都已産生，成爲以後最重要的禮儀性玉器，因此，我們不妨將這個階段稱之爲“圭和璋的階段”。至于像生形玉器，新出現的有神頭像、獸面像、翼展很大的飛鳥、透雕的側身龍或鳥形佩等玉器[57]。這些玉器中的神頭像和獸面像與商周時期仍在行用的神頭像基本相同，説不定也具有相同的寓意；鳥、鳥形或龍形的佩等，雕刻技法精湛，可視爲後來像生類玉雕的藍本。

第5階段：中國青銅時代早期即夏代及商代前期（公元前1800年至前1300年）。這是史前玉器向古典玉器的過渡期，如果將這一時期放在整個中國玉雕藝術發展的歷史進程中來觀察，還是應當歸并到中國史前玉器的範疇。這一時期的像生形玉器一度受到忽視，幾何形玉器中的璜、玦等裝飾用玉也不太流行，但禮儀用玉則得到了極大的强化。比較常見的玉器有圭、璋、璧、琮、鉞、斧、多孔刀、柄形器和項飾等，其中後世已經不常見的斧形璋在這一時期十分流行，分節且節間飾獸面紋或簡化獸面紋的柄形器也比較具有特色。玉器保留了早期的樸素簡潔的風格，僅有少量玉石器上刻有獸面紋、雲雷紋、平行綫紋等紋飾，其中鉞和璋等器物的兩側通常雕出複雜的扉牙。

第二期：商代後期至南北朝時期，其年代約爲公元前1300年到公元500年。

在這一時期，青銅器儘管已經普遍使用，但玉器在人們的社會生活、政治生活和禮儀活動中具有重要的地位，被廣泛運用于敬事神靈、區别等級和身份、妝點人們服飾等方方面面，成爲當時地位和權利的重要象徵物之一。這時期玉雕藝術的特點主要反映在三個方面：

首先，玉器的種類以各種幾何形造型的禮玉如璧、璜、圭（戈形器）、璋（斧形器）、琮等爲主體，輔之以像生形即動物造型的玉器。從數量上來説，這個時期禮玉在許多重要的遺存單位的玉器中占主要地位，如春秋晚期的陝西鳳翔縣秦雍城宗廟遺址祭祀坑中出土有一百多件玉器，全部都是禮玉[58]，戰國後期的河南輝縣市固圍村魏國大墓旁的一座祭祀坑中出土的一百零五件玉石器，也都是禮玉[59]。就連貴族婦女的墓葬中，禮玉也占相當的數量比例（如商代晚期河南安陽市殷墟婦好墓，共出土玉石器七百五十五件，其中禮玉就占了一百七十五件[60]）。從類型上來説，史前時期剛剛興起還不流行的戈形器（圭）等，在這一個時期却與玉璧一起成爲了禮玉的主流，不僅祭祀活動中要“植璧秉圭”，標表等級的“六器”也是圭和璧，諸侯朝覲聘問時也要執圭；而且在葬玉中，圭和璧也被置于一個很突出的位置，被放在墓穴填土裏、棺椁上和兩側、死者懷中等處。至于斧形器（璋）、琮等禮玉，這個時期的使用雖不如前兩類廣[61]，但周代聘禮要準備璋和琮給國君夫人，周王册命諸侯之禮也有“入返瑾璋”的儀式，貴族間進行盟誓的“載書”有的也寫在璋上，這兩種禮玉在這個時期仍然有着重要的作用。

其次，這時期的玉雕造型玉器大都沿襲先前已有的器物種類，但像生形即動物造型的玉器這時期有很大的發展。除了先前的龍、鳥、蟬、魚外，新出現的動物造型的玉器有象、虎、熊、牛、馬、鹿、羊、猪、兔、螳螂等。這時期的像生形玉器有不少是利用璜形玉料雕琢，故環狀造型（或圓弧造型）的夔龍、鳳鳥、神像、躍魚等玉雕相當常見。玉雕風格具有强烈的模式化傾向，即使如像生造型的人物、動物也不例外，歷史變化的痕迹衹反映在細小的部位和裝飾上：玉石人像中的立姿造型幾乎都是正面，形象左右對稱，比較刻板；側面造型的玉佩往往作蹲踞狀，頭向後仰，腿向後彎，分辨起來有些困難；至于圓雕的立體人物造型則基本上都作跽坐形，雙腿下跪，臀坐脚後跟上，雙手放在膝上。玉龍或像史前玉龍那樣成首尾相銜的團身圓形，或反轉頭尾作“S”造型；玉坐熊作人形踞坐狀，前肢平置膝蓋上；玉卧牛的前肢後彎，匍匐地上；玉鹿則有四足前抵的正首造型和四足垂立的反首造型兩類。其它像玉鳥，其造型種類雖然較多，但不外乎側立、正卧、展翅等幾種模式。這些造型模式有的在史前就已經産生，不少相同造型的動物既見于商代也見于周代，具有很强的一致性。

其三，這時期的玉器注重在光潔的玉器表面添加圖案化的動物紋樣和幾何紋樣，即使本身没有什麽花紋的動物，其身上也往往被刻上了紋飾的綫條，這與中原系青銅器中的動物造型如出一轍。紋飾的種類在顧及玉石器本身造型的同時，也帶有千篇一律的程式化的傾向，商代晚期至西周前期的玉石器無論何種造型，均流行勾連雲紋；西周後期至春秋早期玉石器則更喜歡有頭有尾的龍鳳紋和斜角雲紋；春秋中期以後的玉石器上則盛行細小且糾纏在一起的雲雷紋、蟠虺紋、旋渦紋等，紋飾圖案化傾向增强。這些紋飾構成元素多樣，單陰綫、雙陰綫、點凸綫等都有。此外，平面和透雕的龍鳳、獸面等紋樣，一直是這個時期長期沿用的題材。

基于上述這一時期玉雕藝術的特點，我們可以將這個時期稱之爲“玉器紋飾的創造時期”，或“古典玉器時期”。這個時期可以劃分爲五個階段：

第1階段：商代後期至西周前期（公元前1300–前900年前後）。這是中國古典玉器風格形成的階段，這一階段的禮玉已有後世“六器”中的圭、璋、璧、璜、琮五種，并有仿照青銅禮器的玉容器，如玉簋等；佩玉還停留在比較簡單的項飾階段，與史前佩玉差异不明顯；玩玉種類多樣，虎、牛、羊、鹿、象、兔、鳥、龜、鱉、魚等應有盡有，其動物造型如梟和人獸結合的題材爲後世所罕見。玉石器表多滿飾花紋，紋飾的綫條大都是雙勾陰綫，構圖單元較大，一般兩至三個構圖單元就布滿整個器表。紋飾種類以夔龍紋、鳳鳥紋、勾連雲紋、斜格紋等爲主。在這個階段偏早和偏晚的玉器還有一些差异——商代後期動物造型的璜和玦的形狀多作一端獸首而另一端獸尾的不完全對稱形狀，背緣往往密布表示鬃鬣的凸齒；動物造型中缺少周人喜好的長角鹿，勾喙的梟則是鳥中最常見的種類；勾連雲紋主要見于這一時期，但却缺乏有頭有尾的動物紋樣。西周前期的玉璜和玉玦背緣均無凸齒，動物造型的玉石器中開始出現長角的鹿；開始流行上有梯形玉版、下垂數串珠璣的挂在女性胸前的胸佩；交錯布列的斜角鳳鳥紋和夔龍紋，左右對稱布列和上下重叠布列的雙鳳紋是這一階段新出現的紋飾。

第2階段：西周後期至春秋早期（約公元前900–前700年前後）。這個階段是影響中國後世禮儀制度甚大的“周禮”的形成時期，也是中國藝術史一個非常重要的轉折時期，玉雕藝術在這個階段也發生了很大的變化。在這個階段，裝飾用玉中，高級貴族間開始流行璧、璜、珩、玦和珠璣組成的雙繫玉組佩，各種形狀的中央有穿孔或一端有穿孔的玉佩；喪葬用玉中出現了專爲死者使用的玉覆面、琀、握等葬玉，在死者軀幹上用薄玉片連綴成多組柄形器模樣作爲裝飾，已經有後來玉衣玉柙的雛形。紋飾單元仍然較大，但兩兩糾纏在一起的或兩頭同身的雙龍紋、雙鳳紋和龍鳳紋是這一階段玉器上常見的紋樣。

第3階段：春秋中期至戰國前期（約公元前700–前350年）。隨着周王朝中央權威的喪失，中國中心地區陷入了群雄争霸和兼并的階段。這個階段的玉器與青銅器一樣，其風格也由一統變爲多元，原周文化區東方的晋（包括從晋國分裂出來的韓、趙、魏）、齊、燕諸國與西方的秦國，南方的楚、吴、越等國的玉石器具有顯著的差异，從而形成了東周時期關東地區、關中地區和江淮地區三種玉石器風格[62]。這個階段用玉之風熾盛，就連平民都喜好使用仿玉的石器。先前反首回顧、躬背捲尾的“琥”在這一時期頗爲盛行，成爲“六器”裏的唯一動物造型的禮玉。傳統玉石禮器中的琮、斧、鉞等禮儀器罕見乃至消失，戈形圭逐漸被漢碑式圭所取代。帶紋飾的璜大概受到其上雙首共身龍虎紋飾的影響，其形態變爲兩頭略寬、中部略窄的三段式。玉石帶鈎在這一時期出現并成爲服飾中的重要組成部分。紋飾既滿且密，不留素地，紋類以細小的蟠虺紋和散虺紋爲主，具有同時期青銅器紋飾的特色。因此，我們可以將這個階段稱之爲“紋飾細化的階段”。

第4階段：戰國後期至東漢（約公元前350–公元200年）。在這個階段，商周的神秘古風已基本爲秦漢的豪放新風所取代。璧、璜在這一時期無論在造型上還是紋飾上都更加豐富多彩——璧除了常在外緣附飾兩條或三條透雕的龍鳳外，璧的表面紋飾也由單圈構圖發展爲内外雙圈甚至三圈的構圖；璜的形狀變得複雜，有的兩端透雕爲獸首，上下也均施加透雕的雲水紋飾，它在佩玉中的放置也由側置和仰置變成了凸背向上的仰置，這樣原先繫連玉組件的雙組也就逐漸變成了單組。這一時期的人物造型玉石工藝品一改過去呆板拘謹的對稱站立姿態，而以扭動腰肢、甩動長袖的舞姿出現。動物造型的玉石工藝品除了具有禮玉色彩的龍形“琥”外，已經更注重形態的生動而不是紋飾的精美。玉石的雕刻技法已經日益成熟，剔地起凸和鏤空透雕的技法盛行，鏤空的邊緣都自然圓潤，富于立體感。紋飾注重龍、鳳等動物整體形態的表現，其上綫條極其簡練而流暢，使得這些傳統動物紋樣給人以行雲流水的嶄新感覺；另一方面，在璧、璜、龍等玉器兩側的平面上，其紋飾一般爲隱起的旋渦紋（或稱“穀紋”）和格子紋（或稱“蒲紋”），紋飾細化且高度程式化[63]。我們不妨也以紋飾特徵來描述這個階段，將其稱之爲“紋飾分化的階段”。

第5階段：三國魏晋南北朝時期（公元200–600年前後）。這是一個漢玉舊有風格還在延續的階段，也是唐宋新風格已經開始萌芽的階段。由于這個階段先後經歷了三國鼎立、十六國分裂和南北對峙，戰亂不斷，社會動蕩，社會生産力受到極大的破壞，因而從曹魏開始，各國都不得不抑制奢靡之風，魏文帝下令禁止高級貴族在喪葬中使用玉衣，就是一個例子。玉器作爲一種與國計民生關係不大的工藝門類，在這個階段也受到冷落，從而使這個階段成爲從古典玉雕向近古玉雕過渡的低谷時期。處在這個低谷期的玉器，首先是數量大大減少，其次是種類比較單調，其三是雕刻趨于粗放。先前流行的傳統禮儀用玉在這個時期已非常罕見，漢代盛行的喪葬用玉這時也大爲減少，日用的裝飾用玉和陳設用玉稍多一些，如玉杯、玉印、玉辟邪等。在裝飾用玉中，玉帶鈎器型較小，鈎首多爲龍首，形態寬短而厚，雕琢略顯粗糙。組玉佩是曹魏王粲根據漢代玉佩復原的古制[64]，形態爲非常單調統一的上有如意雲頭式的單珩或雙珩、中有一璧（或佩）加雙璜、下有一衝或加二牙的形式，其組件一般爲素面或衹有簡單的雕刻，玉璧和玉璜雖已經有些縮小，但玉珩和玉衝却較大，與先前的漢代玉佩和以後的唐宋玉佩都判然有别。

第三期：隋唐至明清時期，年代約公元600–1900年。

隋代結束了魏晋南北朝的長期分裂對峙局面，唐代更開始了中國歷史上又一個强盛的帝國時期。隨着社會經濟的發展，文化藝術也進入了一個新的時期，玉雕藝術自然也帶上了鮮明的新時期的烙印。在這個時期的相當長的一段時間内，中央王朝的勢力範圍都覆蓋了新疆一帶，優質的新疆和田玉成爲玉雕材料的重要來源，大大提升了玉器的品質，使得這一時期涌現出了大量純潔無瑕、晶瑩剔透的玉雕作品。從隋朝開始科舉取士，文風始盛，風氣所及，玉器也沾染上了濃厚的文風，文玩類玉器和陳設類玉器大大增加。大約從南北朝末期開始，北方族群的生活習俗和服飾逐漸感染了中國大部分地區，中國褒衣博帶的傳統服裝也被具有胡服特色的新式服裝所取代，適應于横向腰帶的裝飾用玉也因而流行，傳統的垂帶組佩玉件更加退化，服飾用的璧、璜等裝飾用玉與復古禮儀用的璧、璜完全分離。該期玉器種類比前一時期大大增加，玉雕風格焕然一新，上個時期數量最多的璧、璜類玉器大大減少，單純的龍鳳、獸面、雲氣等題材已經不太流行，傳統的雲雷紋、旋渦紋、格子紋等也已經消失。我們可以將這個時期稱之爲“玉器題材創造的時期”或“新風玉器時期”。

這一時期玉雕藝術的發展歷程可以分爲三個階段：

第1階段：隋、唐、五代時期（約公元600–1000年），這是中國玉器從古典風格向新近風格時期轉變的階段（或者説是漢玉向宋玉轉變的階段）。這個階段，由于朝廷控制着西域，優質玉料來源不成問題，故玉器質料以和田玉爲主，并有來自域外的瑪瑙、水晶等。這個階段金銀器也開始流行，影響所及，一些玉器也用黄金來做連接構件或裝飾飾件，陜西西安市隋李静訓墓出土的金扣白玉杯即其一例。隨着佛教的興盛和外來文化的涌入，玉器的種類和題材也發生了較大變化，除了玉雕佛像和天人外，寫實的人物和動物開始增加。傳統的禮儀用玉和喪葬用玉在這個階段少見，新出現了封禪用玉册、喪葬用玉哀册等。裝飾用玉在這個階段也變化顯著，北朝末期出現的玉蹀躞帶到唐代成爲了等級高下的一個標志，玉帶銙數的多少代表着等級的高低，這些玉帶銙上都浮雕淺刻着人物和動物，有的雕刻非常精美（如前蜀王建墓出土玉帶）。除了玉帶外，玉佩在這個階段得到了長足的發展，玉佩的造型已經完全擺脱了上個時期韘形佩的束縛，形態各异、工藝不同、紋飾不同的雲龍、對鳳、牡丹、蝴蝶、花鳥等玉佩，都是新出現的玉佩形式。這時期的玉器皿也多了起來，羚羊頭形、蓮瓣形、海棠形玉杯，都是受外來影響出現的新樣式。玉器的裝飾題材開始注重花卉、花鳥和人物，開宋玉題材之先河。

第2階段：宋、遼、金、元時期（約公元1000–1400年）。宋代統治階級提倡復古興文，影響所及，就連外來的佛教造像也日益世俗化，玉雕作品在種類上和表現上也發生了較大的變化。也是從宋代起，傳統的低坐方式已經讓位于高坐方式，桌、案、櫃、架等體量較大的家具成爲影響室内空間布局的主要因素，與之相應的陳設用玉也變多變大，玉質的仙佛、异獸、童嬰、器皿、文具等陳設都被高高地擺放在了桌子上。這些陳設有的體量很大，著名的北京北海團城“瀆山大玉海”，雕琢于元至元二年（公元1265年），其口徑182、高70厘米，重達3500千克。還是從宋代開始，隨着金石學的興起，復古之風興盛，仿照古器製作的玉器也多了起來，除了有仿照古代禮玉製作的圭、璧等外，還有仿照商周青銅器製作的簋、壺、卣等。裝飾用玉是這一階段玉器中最爲輝煌的種類，除了當時作爲禮儀大帶上的玉版外，各種形態、各種題材、不同手法的玉佩，將當時人們妝扮得婀娜多姿。玉雕構圖注重將人物、動物、植物組合在一起，如松鶴、松鹿、花鳥、魚荷、孔雀花枝、松下仙人、山中走獸等等，所謂“春水玉”、“秋山玉”，就是這種組合題材的代表。玉雕紋飾向兩個方向發展，一方面突出表現玉的質料和色澤，注重器物的整體造型，儘可能不在其表施加多餘的紋飾；另一方面大量采用圓雕、高浮雕和鏤空透雕的做法，使得需要表現的由多個單元組合成的題材豐富多彩。

第3階段：明清時期（約公元1400–1900年）。明清時期用玉之風很盛，上至皇家下至庶民都很重視玉器，玉雕藝術因而在清代達到了一個最高峰。由于玉器使用很廣，除了宫廷玉器造辦處外，民間從事玉雕的作坊也日漸增多，涌現出了明代陸子剛等製玉名家。尤其是清代平定新疆後，和田玉料輸入豐富而穩定，更促進了民間玉雕作坊的發展，北京、揚州、蘇州都成爲當時民間玉器作坊集中之地。這個階段玉器種類和數量繁多，祭祀禮儀用玉、日常生活用玉、文房陳設用玉、佩戴觀玩用玉等都很多，後三者尤其發達。在日常生活用玉中，器皿種類明顯增加，除了先前就有的碗、盞、杯、盤等外，各種形態的執壺、瓶罐、盒子應有盡有，甚至唾盂等也用玉來製造。在文房陳設用玉中，除了彌勒、觀音、羅漢、童子等神像，硯臺、筆山、墨洗等文具外，還有龜蟹、蔬菜、瓜果、花草、如意、花插、插屏、山子等純粹陳設，其中山子往往表現故事性的繪畫題材，有的山子如“大禹治水圖山子”、“秋山行旅圖山子”等，都是高達一兩米的鴻篇巨製，前所未見。觀玩佩玉的風氣很盛行，玉頭飾和玉佩不僅數量多，而且品種全，玉牌子、玉香囊、花葉與傳統玉件結合的玉組佩等，都很有特點。在雕琢工藝上，玉料切割規整，琢磨精細，雕刻邊角鋒鋭，雕後拋光到位，即使被清人和今人戲稱爲“糙大明”的明代玉器，在外露部分也精雕細琢，毫不馬虎。在裝飾題材上，這一階段的題材廣泛，流行隱喻吉祥福壽的造型和圖案，除了人像、魚藻、花果、鳥蟲等組合圖案外，還有山水林木、人物故事等相當複雜的題材。在裝飾手法上，注重裝飾與所裝飾主體的呼應，如瓜果形的器皿就以瓜藤果枝作爲柄形裝飾。此外，曾經在宋元時期一度消失的壓地隱起技法又得到流行。

注釋：

① 鄧聰：《玉器起源的一點認識》，《中國玉文化玉學論叢》，紫禁城出版社，2002年，第195–206頁。

② Sergei A. Komissarov, The Ancient Jade of Asia in Light of Investigations by the Russian Archaeologists，鄧聰主編《東亞玉器》第二册，香港中文大學中國考古藝術研究中心專刊（十），1998年，250–279頁。

③ 漢・許慎《説文解字・玉部》，中華書局影印陳昌治刻本，1963年，10–14頁。

④ 加拿大英屬哥倫比亞大學的荆志純教授曾經對四川廣漢市三星堆遺址兩個器物坑和成都市金沙村遺址出土的玉石器進行了分析，發現了一個有意思的現象：即凡是圭、璋這類當時最重視的禮器，其才質都是玉；璧、環一類玉器則玉和石皆有，其他器類則以石爲主。

⑤ 這裏的“前仰韶時代”是泛指仰韶文化時代以前的一段時間，其年代大致相當于新石器時代中期，主要代表性文化在黄河流域有老官臺文化、裴李崗–磁山文化、後李文化和北辛文化。

⑥ 《管子・輕重甲・揆度》：“玉起于禺氏之邊山。此度去周七千八百里，其塗遠，其至厄，故先王度用其重而因之。”《吕氏春秋・重己篇》：“人不愛昆山之玉、江漢之珠，而愛己一蒼璧小璣，有之利故也。”《鹽鐵論》：“是以遠方之物不交，而昆山之玉不至。”

⑦ 中國社會科學院考古研究所内蒙古工作隊：《内蒙古敖漢旗興隆窪聚落遺址》，《考古》1997年第1期。

⑧ 辛岩：《查海玉器的發現及認識》，費孝通主編《玉魄國魂——中國古代玉器與傳統文化學術討論會文集》，第154–159頁，北京，燕山出版社，2002年。

⑨ 徐新民：《玉玦産生的文化影響》，《第二届古代玉器與傳統玉文化學術討論會專輯》（《浙江省文物考古研究所學刊》第六輯），杭州出版社，2004年，第92–97頁。

⑩ 劉國祥：《紅山文化玉器研究》，《海峽兩岸古玉學會議論文專輯（Ⅰ）》，臺北，2001年。

⑪ 浙江省文物考古研究所：《河姆渡——新石器時代遺址考古發掘報告》，文物出版社，2003年。

⑫ A. 鄧淑蘋：《中華五千年文物集刊（玉器篇一，新石器時代至商前期）》，臺北，1985年；B.中國玉器全集編輯委員會：《中國玉器全集・原始社會》，河北美術出版社，1992年。

⑬ 張忠培：《窺探凌家灘墓地》，安徽省文物考古研究所編：《凌家灘玉器》，第141–154頁，北京，文物出版社，2000年。

⑭ 浙江省考古研究所、上海市文物管理委員會、南京博物院：《良渚文化玉器》，文物出版社・兩木出版社，1989年。

⑮ 涉及到這個問題的論文較多，如王巍：《商文化玉器淵源探索》，《考古》1989年第6期，第831頁；劉斌：《良渚文化玉琮初探》，《文物》1990年第2期，第36頁；孫志新：《略論良渚玉器與商代玉器的關係》，鄧聰編《東亞玉器》，中國考古藝術研究中心，1998年，第366–370頁。

⑯ 張緒球：《石家河文化的玉器》，《江漢考古》1992年第1期，第56–60頁。

⑰《周禮・春官・大宗伯》説："以玉作六器，以禮天地四方：以蒼璧禮天，以黄琮禮地，以青圭禮東方，以赤璋禮南方，以白琥禮西方，以玄璜禮北方。"

⑱《周禮・春官・大宗伯》説："以玉作六瑞，以等邦國：王執鎮圭，公執桓圭，侯執信圭，伯執躬圭，子執穀璧，男執蒲璧。"

⑲ 羅振玉《增訂殷墟書契考釋》認爲："《説文解字》王象三玉之連，丨其貫也，古文作𤣩。卜辭亦作丯——或露其兩端也。知丯即玉者，卜辭地名有㻊字，從王或從丰。又玨字，從王亦從丯作玨。又豐字，從玨亦從丯丯，其證矣。至古金文皆作王無作𤣩者"（引自《甲骨文獻集成》第七册）。

⑳ 姚孝遂、肖丁主編《殷墟甲骨刻辭類纂》（中華書局，1989年）將其釋作"玉"，高明、涂白奎編撰《古文字類編》（上海古籍出版社，2008年）將其釋作"琮"。

㉑《禮記・聘義》："故天子制諸侯。比年小聘。三年大聘。相厲以禮。……以圭璋聘。重禮也。已聘而還圭璋，此輕財而重禮之義也。"

㉒《周禮・春官・宗伯》。

㉓ 參看裘錫圭：《甲骨文中的幾種樂器名稱——釋"庸"、"豐"、"鼗"》，裘錫圭《古文字論集》第196–209頁。

㉔ 參看王宇信：《卜辭所見殷人寶玉、用玉及幾點啓示》和張永山《金文中的玉禮》，鄧聰編《東亞玉器》，中國考古藝術研究中心，1998年，第18–25頁、第26–33頁。

㉕《禮記・聘義》，中華書局影印世界書局《十三經注疏》縮印本。

㉖ 中國科學院考古研究所安陽發掘隊：《1975年安陽殷墟的新發現》，《考古》1976年第4期，第264–272頁，圖版柒・1。

㉗ 明・高濂：《燕閑清賞箋・論古玉器》，第57–57頁，巴蜀書社，1985年。

㉘《戰國策・趙策一》記蘇秦爲齊説趙王的話中就有："此代馬胡駒不東，而昆山之玉不出也"的話。《山海經・海内東經》記昆侖流沙之中有"西胡白玉山，在大夏東，蒼吾在白玉山西南，皆在流沙西，昆侖山東南"。《吕氏春秋・輕重甲篇》："禺氏不朝，請以白璧爲幣乎？昆侖之墟不朝，請以璆琳、琅玕爲幣乎？"

㉙ 楊伯達：《中國古代玉器概述》，《中國玉器全集・原始社會卷》，河北美術出版社，1992年；B.陳聚興：《新干商代大墓玉器鑒定》，《新干商代大墓》附録10，文物出版社，1997年，第301–308頁，。

㉚ 中國社會科學院考古研究所：《殷墟婦好墓》，北京，文物出版社，1980年，第157頁，彩版二九・1。

㉛ 河南省文物研究所等：《淅川下寺春秋楚墓》，北京，文物出版社，1991年，第98–99頁。

㉜ 玉石圭璋的第一種用途見于《周禮・春官・典瑞》，所謂"四圭有邸，以祀天，旅上帝；兩圭有邸，以祀地，旅四望。"玉石圭璋第二種用途在《墨子・非攻下》中反映得最明顯。墨

子記夏禹征伐三苗時，“有神人面鳥身，若瑾（奉圭）以侍”，周伐商前夕，更有“赤鳥銜圭，降周之岐社。”圭上寫着“天命周文王，伐殷有國。”在這個傳説裏，由天帝使者赤鳥銜給人王的“圭”，也就是用紅色顏料書寫有天帝册命人王擁有天下文字的玉石圭，實際上具有天帝與人王間的契約的作用。玉石圭的這種作用，推而廣之，又成爲人王分封諸侯，使之擁有某一區域土地和人民的信物和契約。書寫有册命文字的玉石圭即“命圭”，由被册封者珍藏。《詩・大雅・崧高》記周宣王封申伯于南土時的册命就有“賜爾介圭，以作爾寶”的句子。圭既用于上下級貴族的契約和信物，在同級貴族間也可以使用作盟誓“載書”的載體。山西侯馬市晋都新田附近發現的盟誓遺址，出土了大量盟誓後埋在地下請神明監督的“載書”，它們絶大多數也都是用紅色寫在玉石圭和璋上。在考古發現的周王朝分封的諸侯國君墓葬中，屢屢發現死者雙手秉玉石圭（戈）的現象，這些玉圭應當是生前受封時所賜玉石圭的仿製品，它們既是王室與諸侯之間權力與義務約定信物，又是這些諸侯等級身份的標志。這種等級標志在戰國時期尚存留于人們的記憶中，將其作爲高級爵位的一種。《吕氏春秋・孟冬紀・异寶篇》載楚國的臣子伍員逃亡，楚國頒布捉拿伍員的法令中就有“得伍員者，爵執圭，禄萬擔，金千鎰”。

㉝ 從玉璋的出土情况來看，璋在夏人那裏應當是一種重要的玉禮器，商人和周人似乎不太重視這種禮器，但在同時期的西南四川盆地和陝西南部地區（據文獻及考古材料，該區域的人們與夏人有密切的關係），璋却是禮器中最爲重要的一種，它不僅用玉石製作，還用青銅來仿製，廣漢三星堆器物坑出土的捧璋小銅人像就形象地説明了這一問題。夏人及其親緣族群屬于中原和靠近東部地區的古族，源自這裏的玉璋對周圍尤其是東南沿海地區有深遠的影響，在華南地區甚至越南都發現有玉璋，就是這種文化背景的實物例證。

㉞ 研究者對于《爾雅》解釋的理解有兩種，一種以吴大澄爲代表，他是以“好”徑與兩側“肉”寬之和的比例來確定瑗、環和璧（吴大澄：《古玉圖考》，書目文獻出版社，1992年）；一種以那志良爲代表，他是以“好”徑與一側“肉”寬的比例來區分瑗、環和璧（那志良：《玉器辭典》，雯雯出版社，1983年）。

㉟ 如《尚書・金縢》記載周武王重病，周公“植璧秉圭，乃告太王、王季、文王”；《洹子孟姜銅壺銘》記“齊侯拜佳命，于上天子用璧，玉備一嗣；于大巫司誓于大司命用璧，兩壺八鼎”。

㊱ 《春秋左傳》（僖公二十三年）記晋公子重耳逃亡在外，路經鄭國，鄭國國君慢待公子重耳，鄭國貴族僖負覊悄悄與公子重耳聯絡感情，在饋贈食品的同時還在食品下放置了玉璧。“（僖負覊）乃饋盤飧，實璧焉。公子受飧，反璧。”

㊲ 北京大學考古學系、山西省考古研究所：《天馬——曲村遺址北趙晋侯墓地第二次發掘》，圖三五，《文物》1994年第1期，第25頁。

㊳ 《左傳》定公四年。

㊴ 關于玉琮造型意義及其功能的種種説法，參看臺灣學者鄧淑頻：《故宫博物院所收藏新石器時代玉器研究之二——琮與琮類玉器》，《故宫學術季刊》六卷二期，第17–53頁。

㊵ 《周禮・春官》的《大宗伯》、《典瑞》。

㊶ 唐・賈公彦：《周禮注疏》，中華書局影印清《十三經注疏》本，1987年。

㊷ 南京博物院：《北陰陽營》第73–75頁，北京，文物出版社，1993年。

㊸ 上海市文物管理委員會黃宣佩主編：《福泉山——新石器時代遺址發掘報告》，94頁，圖六七・1，彩版三二，北京，文物出版社，2000年。

㊹ 《三國志・魏書・王粲傳》："魏國既建，（粲）拜侍中。博物多識，問無不對。時舊儀廢弛，興造制度，粲恒典之。"《隋書・禮儀志》："至明帝始復製佩，而漢末又亡絶。魏侍中王粲識其形，乃復造焉。今之佩，粲所製也。"

㊺ 《舊唐書・高宗本紀下》："改咸亨五年爲上元元年，大赦。戊戌，敕文武官三品已上服紫金玉帶；四品深緋，五品淺緋，并金帶；六品深緑，七品淺緑，并銀帶；八品深青，九品淺青，鍮石帶；庶人服黄銅、鐵帶。一品已下文官，并帶手巾、算袋、刀子、礪石，武官欲帶亦聽之。"

㊻ 從文獻材料看，《周禮・春官・典瑞》就有"疏琮璧以殮尸"的文字，《墨子・節葬下》和《吕氏春秋・孟冬紀・節喪》都批評當時權貴死後"金玉珠璣比乎身"，尸體"含珠鱗施"的厚葬現象，這些都反映了當時貴族喪葬用玉的情况。從考古材料看，山西曲沃縣北趙晋侯墓地埋葬有從西周早、中期之際到春秋初期的九代晋侯及其夫人的墓葬，最早的晋侯及晋侯夫人就已經口含、手握或身佩有一些玉石器，但從西周中晚期之際的一組墓葬才開始給死者覆蓋綴玉覆面，并開始用大量玉石器覆蓋在死者身上。

㊼ 浙江省文物考古研究所、紹興縣文物保護管理所：《印山越王陵》，北京，文物出版社，2002年。

㊽ A.中國社會科學院考古研究所：《殷墟婦好墓》，文物出版社，1980年，第114–202頁；B.山西省考古研究所、北京大學考古學系：《天馬－曲村遺址北趙晋侯墓地第三次發掘》，《文物》1994年第8期，第22–33頁。

㊾ 楊伯達：《中國玉器發展歷程》，《東南文化》1988年第6期151–155頁，1989年第1期第1期121–131頁。

㊿ 古方主編的《中國古玉器圖典》（文物出版社，2007年）也將中國玉器的發展劃分爲六期，唯一的差异在于他將第五、六期的界限放在元、明之間而非楊伯達先生的宋、元之間。

○51 漢・袁康《越絶書・外傳記寶劍》（卷十一）。

○52 吴汝祚、牟永抗：《玉器時代説》，《東方文明之光》166–175頁，海南國際新聞出版中心，1996年。

○53 劉斌、王煒林：《從玉器的角度觀察文化與歷史的嬗變》，《浙江省文物考古研究所學刊》第六輯（第二届中國古代玉器與傳統文化學術討論會專輯），第45–55頁，杭州出版社，2004年。

○54 孫守道《中國史前東北玉文化試論》，鄧聰編《東亞玉器》，中國考古藝術研究中心，1998年，102–119頁。

○55 浙江省考古研究所、上海市文物管理委員會、南京博物院：《良渚文化玉器》，文物出版社・兩木出版社，1989年。

(56) 見注⑮

(57) 張緒球：《石家河文化的玉器》，《江漢考古》1992年第1期，第56–60頁。

(58) 尚志儒、趙叢蒼：《秦都雍城出土玉器研究》，《文博》（玉器研究專刊），1993年，第93–105頁。

(59) 中國科學院考古研究所：《輝縣發掘報告》，科學出版社，1956年。

(60) 中國社會科學院考古研究所：《殷墟婦好墓》，文物出版社，1980年，第114–202頁。

(61) 這是就商周時期整個中心地區而言，在當時有的地區如四川盆地，斧形器（璋）就特別流行。參看成都市文物考古研究所、北京大學考古文博院《金沙淘珍——成都市金沙村遺址出土文物》，文物出版社，2002年。

(62) 楊建芳：《商周越式玉器及其相關問題——中國古玉分域研究之二》，《南方民族考古》第2輯，四川科學技術出版社，1989年。

(63) A.夏鼐：《漢代玉器——漢代玉器中傳統的延續和變化》，《考古學報》1983年第2期，第125–145頁；B.楊伯達：《漢代玉器藝術》，《香港中文大學中國文化研究所學報》第十五卷，1984年，第217–240頁。

(64) （晉）陳壽：《三國志・魏志・王粲傳》裴松之注引（晉）摯虞《决疑要録》，上海古籍出版社影印武英殿本，1986年。

目　　録

新石器時代（公元前八〇〇〇年至公元前二〇〇〇年）

頁碼	名稱	時代	發現地	收藏地
1	玦	興隆窪文化	内蒙古敖漢旗寶國吐鄉興隆窪村	中國社會科學院考古研究所
1	ヒ形器	興隆窪文化	内蒙古敖漢旗寶國吐鄉興隆窪村	中國社會科學院考古研究所
1	ヒ形器	興隆窪文化	内蒙古敖漢旗大甸子鄉旺興溝	内蒙古自治區敖漢旗博物館
2	蟬形飾	興隆窪文化	内蒙古林西縣白音長汗遺址	内蒙古自治區文物考古研究所
2	雙孔鉞	仰韶文化	河南南陽市高塘村	河南省南陽市博物館
3	璜	仰韶文化	河南臨汝縣北劉莊遺址	河南博物院
3	瑪瑙玦	馬家浜文化	浙江嘉興市吴家浜遺址	浙江省嘉興博物館
4	玦	馬家浜文化	浙江杭州市餘杭區梅園里遺址	浙江省文物考古研究所
4	鉞	崧澤文化	江蘇蘇州市唯亭鎮草鞋山遺址	南京博物院
5	璜	崧澤文化	江蘇蘇州市唯亭鎮草鞋山遺址	南京博物院
5	璜	北陰陽營文化	江蘇南京市鼓樓崗北陰陽營墓	南京博物院
6	琮	大汶口文化		中國國家博物館
6	琮	大汶口文化	安徽肥東縣張集鄉劉崗村	安徽省博物館
7	鏟	大汶口文化	山東莒縣陵陽鎮	山東省莒縣博物館
7	刀	大汶口文化	安徽蕭縣皇藏峪金寨遺址	安徽省蕭縣博物館
8	錐形器	大汶口文化	山東莒縣陵陽鎮	山東省文物考古研究所
8	錐形器	大汶口文化	山東莒縣陵陽鎮	山東省文物考古研究所
9	人面紋飾	大汶口文化	山東滕州市崗上村	山東省滕州市博物館
9	鐲	大汶口文化	山東廣饒縣	山東省文物考古研究所
10	人面紋佩	大溪文化	重慶巫山縣大溪遺址64號墓	重慶市博物館
10	人形佩	大溪文化	重慶巫山縣	重慶市巫山縣文物管理所
11	龍	紅山文化	内蒙古翁牛特旗三星他拉村	中國國家博物館
12	龍	紅山文化	内蒙古翁牛特旗廣德公鄉黄谷屯	内蒙古自治區翁牛特旗博物館
12	猪龍	紅山文化	内蒙古敖漢旗薩力巴鄉干飯營子	内蒙古自治區敖漢旗博物館
13	猪龍	紅山文化	遼寧朝陽市牛河梁遺址墓葬	遼寧省文物考古研究所
14	猪龍	紅山文化	内蒙古巴林右旗羊場鄉額爾根勿蘇村	内蒙古自治區古巴林右旗博物館
14	雙聯璧	紅山文化	遼寧朝陽市牛河梁遺址墓葬	遼寧省博物館
15	三聯璧	紅山文化	遼寧阜新市胡頭溝村墓葬	遼寧省博物館

頁碼	名稱	時代	發現地	收藏地
15	勾雲形器	紅山文化	內蒙古巴林右旗那斯臺遺址	內蒙古自治區巴林右旗博物館
16	勾雲形器	紅山文化	遼寧朝陽市牛河梁遺址墓葬	遼寧省博物館
16	勾雲形器	紅山文化	遼寧朝陽市牛河梁遺址墓葬	遼寧省文物考古研究所
17	勾雲形器	紅山文化	陝西鳳翔縣上鍋店村	陝西省鳳翔縣博物館
17	雙獸首三孔器	紅山文化	遼寧朝陽市牛河梁遺址墓葬	遼寧省博物館
18	馬蹄形器	紅山文化	遼寧朝陽市牛河梁遺址墓葬	遼寧省文物考古研究所
18	獸面紋丫形器	紅山文化	遼寧阜新市福興地遺址	遼寧省博物館
19	獸首形飾	紅山文化	遼寧朝陽市牛河梁遺址墓葬	遼寧省文物考古研究所
19	人形飾	紅山文化	遼寧朝陽市牛河梁遺址4號中心大墓	遼寧省文物考古研究所
20	鳳鳥形飾	紅山文化	遼寧朝陽市牛河梁遺址4號中心大墓	遼寧省文物考古研究所
21	鴞形飾	紅山文化	內蒙古巴林右旗那斯臺遺址	內蒙古自治區巴林右旗博物館
21	綠松石鴞形飾	紅山文化	遼寧喀喇沁左翼蒙古族自治縣東山嘴遺址	遼寧省博物館
22	鴞形飾	紅山文化	遼寧阜新市胡頭溝1號墓	遼寧省博物館
22	龜形飾	紅山文化	遼寧朝陽市牛河梁遺址墓葬	遼寧省文物考古研究所
23	龜形飾	紅山文化	遼寧阜新市胡頭溝1號墓	遼寧省博物館
23	龜形飾	紅山文化	遼寧朝陽市牛河梁遺址墓葬	遼寧省文物考古研究所
24	蠶形飾	紅山文化	內蒙古巴林右旗那斯臺遺址	內蒙古自治區赤峰市博物館
24	環	紅山文化	遼寧朝陽市牛河梁遺址墓葬	遼寧省文物考古研究所
25	鈎形器	紅山文化	內蒙古巴林右旗那斯臺遺址	內蒙古自治區巴林右旗博物館
25	璧	凌家灘文化	安徽含山縣凌家灘遺址	安徽省文物考古研究所
26	刻圖長方形版	凌家灘文化	安徽含山縣凌家灘遺址	故宮博物院
26	瑪瑙斧	凌家灘文化	安徽含山縣凌家灘遺址28號墓	安徽省文物考古研究所
27	雙獸首璜	凌家灘文化	安徽含山縣凌家灘遺址	安徽省文物考古研究所
27	璜	凌家灘文化	安徽含山縣凌家灘遺址	安徽省文物考古研究所
28	璜	凌家灘文化	安徽含山縣凌家灘遺址10號墓	安徽省文物考古研究所
28	瑪瑙璜	凌家灘文化	安徽含山縣凌家灘遺址15號墓	安徽省文物考古研究所
29	冠形飾	凌家灘文化	安徽含山縣凌家灘遺址15號墓	安徽省文物考古研究所
29	人形飾	凌家灘文化	安徽含山縣凌家灘遺址1號墓	故宮博物院
30	人形飾	凌家灘文化	安徽含山縣凌家灘遺址29號墓	安徽省文物考古研究所
31	龍形飾	凌家灘文化	安徽含山縣凌家灘遺址1號墓	安徽省文物考古研究所
31	鷹形飾	凌家灘文化	安徽含山縣凌家灘遺址1號墓	安徽省文物考古研究所
32	龜形飾	凌家灘文化	安徽含山縣凌家灘遺址	故宮博物院
32	葉形飾	凌家灘文化	安徽含山縣凌家灘遺址	故宮博物院
33	玦	凌家灘文化	安徽含山縣凌家灘遺址	安徽省文物考古研究所

頁碼	名稱	時代	發現地	收藏地
33	環	凌家灘文化	安徽含山縣凌家灘遺址10號墓	安徽省文物考古研究所
34	瑪瑙環	凌家灘文化	安徽含山縣凌家灘遺址	安徽省巢湖市博物館
34	箍形飾	凌家灘文化	安徽含山縣凌家灘遺址4號墓	安徽省文物考古研究所
35	鐲	凌家灘文化	安徽含山縣凌家灘遺址	安徽省文物考古研究所
35	勺	凌家灘文化	安徽含山縣凌家灘遺址	故宫博物院
36	神人獸面紋琮	良渚文化	浙江杭州市餘杭區瑶山	浙江省文物考古研究所
36	神人獸面紋琮	良渚文化	浙江杭州市餘杭區瑶山12號墓	浙江省文物考古研究所
37	神人獸面紋琮	良渚文化	江蘇武進市寺墩墓葬	南京博物院
38	神人獸面紋琮	良渚文化	江蘇武進市寺墩1號墓	南京博物院
38	神人獸面紋琮	良渚文化	上海青浦區福泉山9號墓	上海文物管理委員會
39	神人獸面紋琮	良渚文化	浙江杭州市餘杭區反山	浙江省文物考古研究所
39	神人獸面紋琮	良渚文化	浙江杭州市餘杭區反山	浙江省文物考古研究所
40	獸面紋琮	良渚文化	上海青浦區福泉山40號墓	上海文物管理委員會
40	人面紋琮	良渚文化	江蘇武進市寺墩墓葬	南京博物院
41	神人獸面紋琮	良渚文化	江蘇蘇州市草鞋山198號墓	南京博物院
42	柱形器	良渚文化	浙江杭州市餘杭區反山12號墓	浙江省文物考古研究所
43	柱形器	良渚文化	浙江杭州市餘杭區反山16號墓	浙江省文物考古研究所
43	柱形器	良渚文化	浙江杭州市餘杭區横山	浙江省杭州市中國江南水鄉文化博物館
44	刻符璧	良渚文化	浙江杭州市餘杭區安溪鄉	浙江省文物鑒定委員會
45	三叉形器	良渚文化	浙江杭州市餘杭區反山14號墓	浙江省文物考古研究所
46	三叉形器	良渚文化	浙江杭州市餘杭區瑶山	浙江省文物考古研究所
46	三叉形器	良渚文化	浙江杭州市餘杭區瑶山	浙江省文物考古研究所
47	牌形飾	良渚文化	浙江杭州市餘杭區瑶山	浙江省文物考古研究所
47	牌形飾	良渚文化	浙江杭州市餘杭區瑶山	浙江省文物考古研究所
48	管形飾	良渚文化	浙江杭州市餘杭區瑶山10號墓	浙江省文物考古研究所
48	管形飾	良渚文化	浙江杭州市餘杭區瑶山2號墓	浙江省文物考古研究所
49	神人獸面紋璜	良渚文化	浙江杭州市餘杭區反山	浙江省文物考古研究所
49	璜形器	良渚文化	浙江杭州市餘杭區瑶山	浙江省文物考古研究所
50	璜形器	良渚文化	浙江杭州市餘杭區長命鳳山	浙江省杭州市中國江南水鄉文化博物館
50	鉞	良渚文化	江蘇昆山市少卿山	江蘇省昆山市文物管理所
51	神人獸面紋鉞	良渚文化	浙江杭州市餘杭區反山	浙江省文物考古研究所
52	斧	良渚文化	上海青浦區福泉山	上海博物館
52	環	良渚文化	浙江杭州市餘杭區反山	浙江省文物考古研究所
53	項飾	良渚文化	浙江杭州市餘杭區反山	浙江省文物考古研究所

頁碼	名稱	時代	發現地	收藏地
54	鐲	良渚文化	浙江杭州市餘杭區瑶山	浙江省文物考古研究所
54	鐲	良渚文化	浙江杭州市餘杭區瑶山	浙江省文物考古研究所
55	龍首紋鐲	良渚文化	浙江杭州市餘杭區瑶山	浙江省文物考古研究所
55	冠狀梳背	良渚文化	浙江杭州市餘杭區反山	浙江省文物考古研究所
56	冠狀梳背	良渚文化	浙江杭州市餘杭區反山	浙江省文物考古研究所
56	冠狀梳背	良渚文化	浙江杭州市餘杭區反山	浙江省文物考古研究所
57	冠狀梳背	良渚文化	浙江杭州市餘杭區瑶山	浙江省文物考古研究所
58	冠狀梳背	良渚文化	江蘇南京市江寧區昝廟	江蘇省南京市博物館
58	龍首紋飾	良渚文化	浙江杭州市餘杭區瑶山	浙江省文物考古研究所
59	柄形器	良渚文化	浙江杭州市餘杭區瑶山	浙江省文物考古研究所
59	錐形器	良渚文化	浙江杭州市餘杭區瑶山	浙江省文物考古研究所
60	錐形器	良渚文化	浙江杭州市餘杭區瑶山	浙江省文物考古研究所
60	錐形器	良渚文化	江蘇新沂市花廳村	南京博物院
61	鈎形器	良渚文化	浙江杭州市餘杭區瑶山	浙江省文物考古研究所
61	神人鳥形飾	良渚文化	江蘇昆山市趙陵山遺址77號墓	南京博物院
62	人形飾	良渚文化	江蘇高淳縣朝墩頭遺址12號墓	南京博物院
62	魚形飾	良渚文化	浙江杭州市餘杭區反山	浙江省文物考古研究所
63	人面紋琮	石峽文化	廣東韶關市馬壩石峽遺址	廣東省博物館
63	神人紋琮	石峽文化	廣東韶關市馬壩石峽遺址	廣東省博物館
64	玦	石峽文化	廣東韶關市馬壩石峽遺址	廣東省博物館
64	獸面紋璋	龍山文化	山東日照市兩城鄉	山東省博物館
65	璋	龍山文化	山東五蓮縣石場鄉上萬家溝村遺址	山東省五蓮縣博物館
65	璋	龍山文化	山東海陽市司馬臺遺址	山東省海陽市博物館
66	琮	龍山文化	山東五蓮縣丹土村	山東省五蓮縣博物館
66	斧	龍山文化	山東日照市兩城鎮	山東省博物館
67	鉞	龍山文化	山東日照市兩城鎮大孤堆2號墓	臺灣“中央研究院歷史語言研究所”
68	四孔刀	龍山文化	山東臨朐縣西朱封遺址	中國社會科學院考古研究所
68	有齒三牙璇璣	龍山文化	山東滕州市里莊	山東省滕州市博物館
69	竹節形簪	龍山文化	山東臨朐縣西朱封遺址	中國社會科學院考古研究所
70	人面紋簪	龍山文化	山東臨朐縣西朱封遺址	中國社會科學院考古研究所
70	璋	龍山文化	陝西神木縣石峁遺址	陝西歷史博物館
71	獸面紋琮	龍山文化	陝西延安市碾莊鄉蘆山峁村	陝西省延安市文物研究所
71	鉞	龍山文化	陝西延安市碾莊鄉蘆山峁村	陝西省延安市文物研究所
72	鏟	龍山文化	陝西神木縣新華遺址	陝西省考古研究院

頁碼	名稱	時代	發現地	收藏地
72	刀	龍山文化	陝西延安市碾莊鄉蘆山峁村	陝西省延安市文物研究所
73	璇璣	龍山文化	陝西延安市碾莊鄉蘆山峁村	陝西省延安市文物研究所
73	人頭像	龍山文化	陝西神木縣新華遺址	陝西省考古研究院
74	鳳首笄	龍山文化	陝西延安市碾莊鄉蘆山峁村	陝西省延安市文物研究所
74	鷹形笄	龍山文化	陝西神木縣石峁遺址	陝西歷史博物館
75	鷹攫人首紋佩	龍山文化		上海博物館
76	鷹紋圭	陶寺文化	山西侯馬市煤灰製品廠東周祭祀遺址	山西省考古研究所
76	鉞	陶寺文化	山西襄汾縣陶寺遺址	中國社會科學院考古研究所
77	琮	陶寺文化	山西襄汾縣陶寺遺址	中國社會科學院考古研究所
77	獸面形飾	陶寺文化	山西襄汾縣陶寺遺址	中國社會科學院考古研究所
78	環	陶寺文化	山西襄汾縣陶寺遺址	中國社會科學院考古研究所
78	璋	石家河文化	湖北荊州市沙市區汪家屋場	湖北省荊州博物館
79	人面形牌飾	石家河文化	湖北天門市石河鎮肖家屋脊遺址	湖北省荊州博物館
79	人面形牌飾	石家河文化	湖北天門市石河鎮肖家屋脊遺址	湖北省荊州博物館
80	人面形牌飾	石家河文化	湖北荊州市馬山鎮棗林崗	湖北省荊州博物館
80	人面形牌飾	石家河文化	湖北天門市石河鎮肖家屋脊遺址	湖北省荊州博物館
81	神人獸面形牌飾	石家河文化	陝西西安市長安區張家坡17號墓	中國社會科學院考古研究所
81	人頭形飾	石家河文化	湖北天門市石河鎮肖家屋脊遺址	湖北省荊州博物館
82	璜	石家河文化	湖南澧縣孫家崗遺址14號墓	湖南省文物考古研究所
82	龍形佩	石家河文化	湖南澧縣孫家崗遺址14號墓	湖南省文物考古研究所
83	鳳形佩	石家河文化	湖南澧縣孫家崗遺址14號墓	湖南省文物考古研究所
83	人獸合體佩	石家河文化		故宮博物院
84	虎面形飾	石家河文化	湖北天門市石河鎮肖家屋脊遺址	湖北省荊州博物館
84	鷹形飾	石家河文化	湖北天門市石河鎮肖家屋脊遺址	湖北省荊州博物館
85	鳳形飾	石家河文化	湖北天門市石家河	中國國家博物館
85	蟬形飾	石家河文化	湖北天門市石河鎮肖家屋脊遺址	湖北省荊州博物館
86	簪	石家河文化	湖南澧縣孫家崗遺址	湖南省文物考古研究所
86	弦紋琮	齊家文化	甘肅静寧縣治平鄉後柳溝村	甘肅省静寧縣博物館
87	蠶節紋琮	齊家文化	甘肅静寧縣治平鄉後柳溝村	甘肅省静寧縣博物館
88	璧	齊家文化	甘肅静寧縣齊家文化遺址	甘肅省静寧縣博物館
88	璧	齊家文化	甘肅静寧縣齊家文化遺址	甘肅省静寧縣博物館
89	璧	齊家文化	甘肅静寧縣治平鄉後柳溝村	甘肅省静寧縣博物館
89	單人獸形飾	卑南文化	臺灣臺東縣卑南遺址	臺灣省史前文化博物館
90	雙人獸形飾	卑南文化	臺灣臺東縣卑南遺址	臺灣省史前文化博物館

頁碼	名稱	時代	發現地	收藏地
90	多環獸形飾	卑南文化	臺灣臺東縣卑南遺址	臺灣省史前文化博物館

夏商（公元前二十一世紀至公元前十一世紀）

頁碼	名稱	時代	發現地	收藏地
91	璋	夏	河南偃師市二里頭遺址	中國社會科學院考古研究所
91	璋	夏	河南偃師市二里頭遺址	河南博物院
92	璋	夏	河南偃師市二里頭遺址	中國社會科學院考古研究所
92	斧	夏	河南偃師市二里頭遺址	中國社會科學院考古研究所
93	戈	夏	河南偃師市二里頭遺址	中國社會科學院考古研究所
93	戚	夏	河南偃師市二里頭遺址	中國社會科學院考古研究所
94	七孔刀	夏	河南偃師市二里頭遺址	河南省洛陽博物館
94	戚	夏	河南偃師市二里頭遺址	中國社會科學院考古研究所
95	鉞	夏	河南偃師市二里頭遺址	中國社會科學院考古研究所
96	緑松石鑲嵌獸面紋牌飾	夏	河南偃師市二里頭遺址	中國社會科學院考古研究所
97	鏟	夏	河南偃師市二里頭遺址	中國社會科學院考古研究所
97	柄形器	夏	河南偃師市二里頭遺址	中國社會科學院考古研究所
98	曲面牌飾	夏家店下層文化	内蒙古敖漢旗大甸子墓地659號墓	中國社會科學院考古研究所
98	蟠螭紋鐲	夏家店下層文化	内蒙古敖漢旗大甸子墓地458號墓	中國社會科學院考古研究所
99	簪	夏家店下層文化	内蒙古敖漢旗大甸子墓地371號墓	中國社會科學院考古研究所
99	簪	夏家店下層文化	内蒙古敖漢旗大甸子墓地371號墓	中國社會科學院考古研究所
100	璋	商	河南鄭州市楊莊村	河南博物院
100	璋	商	河南新鄭市新村鎮	河南博物院
101	璋	商	四川廣漢市三星堆遺址1號祭祀坑	四川省三星堆博物館
101	璋	商	四川廣漢市三星堆遺址2號祭祀坑	四川省三星堆博物館
102	璋	商	四川廣漢市三星堆遺址2號祭祀坑	四川省三星堆博物館
102	璋	商	四川廣漢市三星堆遺址1號祭祀坑	四川省三星堆博物館
103	琮	商	山東滕州市前掌大商墓	中國社會科學院考古研究所
103	獸面紋琮	商	江西新干縣大洋洲鄉程家村	江西省博物館
104	蟬紋琮	商	江西新干縣大洋洲鄉程家村	江西省博物館
104	琮	商	四川成都市金沙遺址	四川省成都市文物考古研究所

頁碼	名稱	時代	發現地	收藏地
105	璧	商	江西新干縣大洋洲鄉程家村	江西省博物館
105	戚形璧	商	四川廣漢市三星堆遺址1號祭祀坑	四川省三星堆博物館
106	龍冠鴞紋璜	商	河南鹿邑縣長子口墓	河南省文物考古研究所
106	鳥紋璜	商	山東滕州市前掌大120號墓	中國社會科學院考古研究所
107	龍紋璜	商	浙江安吉縣遞鋪鎮三官村	浙江省安吉縣博物館
107	戈	商	河南安陽市殷墟婦好墓	中國國家博物館
108	戈	商	河南安陽市小屯11號墓	中國社會科學院考古研究所
109	戈	商	湖北武漢市黄陂區盤龍城李家嘴村	湖北省博物館
110	戈	商	山東滕州市前掌大120號墓	中國社會科學院考古研究所
110	戈	商	山東滕州市前掌大4號墓	中國社會科學院考古研究所
111	戈	商	陝西西安市灞橋區老牛坡商代遺址	陝西省西安市文物保護考古所
111	獸面紋戈	商	甘肅西峰市董志塬野林村	甘肅省慶陽市博物館
112	戈	商	四川廣漢市三星堆遺址2號祭祀坑	四川省三星堆博物館
112	銅骹矛	商	河南安陽市大司空村25號墓	中國社會科學院考古研究所
113	戚	商	河南安陽市花園莊54號墓	中國社會科學院考古研究所
113	鉞	商	河南安陽市小屯村	中國社會科學院考古研究所
114	鉞	商	山東滕州市前掌大120號墓	中國社會科學院考古研究所
115	刀	商	河南鹿邑縣長子口墓	河南省文物考古研究所
115	刀	商	河南安陽市殷墟婦好墓	中國社會科學院考古研究所
116	刀	商	河南安陽市花園莊54號墓	中國社會科學院考古研究所
116	螳螂刀	商		故宫博物院
117	斧	商	陝西西安市藍田縣寺坡村	陝西省西安市文物保護考古所
118	龍形佩	商	河南安陽市殷墟婦好墓	中國社會科學院考古研究所
118	龍形佩	商	河南安陽市殷墟婦好墓	中國社會科學院考古研究所
119	龍形佩	商	河南安陽市殷墟婦好墓	中國社會科學院考古研究所
119	龍形佩	商	河南安陽市花園莊54號墓	中國社會科學院考古研究所
120	龍形佩	商	山東滕州市前掌大120號墓	中國社會科學院考古研究所
120	獸面形佩	商	河南安陽市殷墟婦好墓	中國社會科學院考古研究所
121	鳳形佩	商	河南安陽市殷墟婦好墓	中國社會科學院考古研究所
121	雙鳥佩	商	河南安陽市殷墟婦好墓	中國社會科學院考古研究所
122	鳥形佩	商	河南安陽市新安莊	中國社會科學院考古研究所
122	鳥形佩	商	河南安陽市郭家莊1號墓	中國社會科學院考古研究所
123	鳥形佩	商	山東滕州市前掌大203號墓	中國社會科學院考古研究所
123	鳥形佩	商	山東滕州市前掌大119號墓	中國社會科學院考古研究所

頁碼	名稱	時代	發現地	收藏地
124	鳥形佩	商	山東滕州市前掌大109號墓	中國社會科學院考古研究所
124	鳥形佩	商	山東滕州市前掌大120號墓	中國社會科學院考古研究所
125	綠松石鳥形佩	商	山東滕州市前掌大120號墓	中國社會科學院考古研究所
125	鷹形佩	商	河南安陽市殷墟婦好墓	中國社會科學院考古研究所
126	鵝形佩	商	河南安陽市殷墟婦好墓	中國社會科學院考古研究所
126	鴞形佩	商	陝西西安市灞橋區毛西村	陝西西安市文物保護考古所
127	虎形佩	商	山東滕州市前掌大120墓	中國社會科學院考古研究所
127	虎形佩	商	山東滕州市前掌大221號墓	中國社會科學院考古研究所
128	魚形佩	商	河南安陽市殷墟	中國社會科學院考古研究所
128	魚形佩	商	河南安陽市殷墟	中國社會科學院考古研究所
129	魚形佩	商	山東滕州市前掌大103號墓	中國社會科學院考古研究所
129	魚形佩	商	山東滕州市前掌大201號墓	中國社會科學院考古研究所
130	魚形佩	商	山東滕州市前掌大120號墓	中國社會科學院考古研究所
130	鹿形佩	商	山東滕州市前掌大3號墓	中國社會科學院考古研究所
131	牛頭形佩	商	山東滕州市前掌大3號墓	中國社會科學院考古研究所
131	兔形佩	商	山東滕州市前掌大31號墓	中國社會科學院考古研究所
132	蛙形佩	商	山東滕州市前掌大201號墓	中國社會科學院考古研究所
132	螳螂形佩	商	山東滕州市前掌大46號墓	中國社會科學院考古研究所
133	人形佩	商		中國國家博物館
133	跽坐人形佩	商	河南安陽市殷墟婦好墓	河南博物院
134	人形佩	商	山東泰安市龍門口	山東省泰安市博物館
134	人首鳥身佩	商	河南浚縣大賚店	河南博物院
135	跽坐人形佩	商	河南安陽市殷墟婦好墓	中國社會科學院考古研究所
135	龍形玦	商	河南安陽市殷墟婦好墓	中國社會科學院考古研究所
136	環	商	浙江安吉縣遞鋪鎮三官村	浙江省安吉縣博物館
136	水晶套環	商	江西新干縣大洋洲鄉程家村	江西省博物館
137	饕餮龍紋觽	商	河南安陽市花園莊54號墓	中國社會科學院考古研究所
137	龍紋觽	商	山東滕州市前掌大132號墓	中國社會科學院考古研究所
138	柄形器	商	河南安陽市殷墟婦好墓	中國社會科學院考古研究所
138	柄形器	商	河南安陽市殷墟婦好墓	中國社會科學院考古研究所
139	柄形器	商	陝西西安市未央區尤家莊	陝西省西安市文物保護考古所
139	柄形器	商	江西新干縣大洋洲鄉程家村	江西省博物館
140	柄形器	商	江西新干縣大洋洲鄉程家村	江西省博物館
140	柄形器	商	浙江安吉縣遞鋪鎮三官村	浙江省安吉縣博物館

頁碼	名稱	時代	發現地	收藏地
141	鳥首笄	商	河南安陽市殷墟婦好墓	中國社會科學院考古研究所
141	人首笄	商	河南安陽市小屯村	臺灣“中央研究院歷史語言研究所”
142	鐲	商	河南安陽市花園莊54號墓	中國社會科學院考古研究所
142	鐲	商	山東滕州市前掌大120號墓地	中國社會科學院考古研究所
143	鐲	商	江西新干縣大洋洲鄉程家村	江西省博物館
143	扳指	商	河南安陽市殷墟婦好墓	中國社會科學院考古研究所
144	雙面立人像	商	河南安陽市殷墟婦好墓	中國社會科學院考古研究所
145	跽坐人形飾	商	河南安陽市殷墟婦好墓	中國社會科學院考古研究所
146	虎首跽坐人形飾	商	河南鹿邑縣長子口墓	河南省文物考古研究所
147	人形飾	商		上海博物館
148	羽人形飾	商	江西新干縣大洋洲鄉程家村	江西省博物館
149	人首形飾	商		上海博物館
149	人面紋飾	商	河北藁城市臺西村85號墓	河北省文物研究所
150	神面形飾	商	江西新干縣大洋洲鄉程家村	江西省博物館
151	人首形飾	商	河南安陽市小屯331號墓	臺灣“中央研究院歷史語言研究所”
151	象形飾	商	河南安陽市殷墟婦好墓	中國社會科學院考古研究所
152	虎形飾	商	河南安陽市殷墟婦好墓	中國社會科學院考古研究所
152	虎形飾	商	山東滕州市前掌大222號墓	中國社會科學院考古研究所
153	牛形飾	商	山東滕州市前掌大222號墓	中國社會科學院考古研究所
153	牛頭形飾	商	山東滕州市前掌大120號墓	中國社會科學院考古研究所
154	鴞形飾	商	河南安陽市殷墟婦好墓	中國社會科學院考古研究所
154	鴞形飾	商	河南安陽市殷墟婦好墓	中國社會科學院考古研究所
155	鳥形飾	商	河南安陽市劉家莊	中國社會科學院考古研究所
155	鳥形飾	商	山東青州市蘇埠屯	山東省博物館
156	魚形飾	商	河南安陽市殷墟婦好墓	中國社會科學院考古研究所
156	蟬形飾	商	湖北武漢市黄陵區盤龍城樓子灣	湖北省文物考古研究所
157	綠松石蟬形飾	商	江西新干縣大洋洲鄉程家村	江西省博物館
157	綠松石蛙形飾	商	江西新干縣大洋洲鄉程家村	江西省博物館
158	鱉形飾	商	河南安陽市小屯村北地	中國社會科學院考古研究所
158	龍形小刀	商		故宮博物院
159	獸面牌飾	商	河南安陽市高樓莊1號墓	中國社會科學院考古研究所
159	獸面牌飾	商	山東滕州市前掌大206號墓	中國社會科學院考古研究所
160	蝶形獸面牌飾	商	山東滕州市前掌大119號墓	中國社會科學院考古研究所
160	饕餮紋簋	商	河南安陽市殷墟婦好墓	中國社會科學院考古研究所

頁碼	名稱	時代	發現地	收藏地
161	扉棱簋	商	河南安陽市殷墟婦好墓	中國國家博物館
162	渦紋簋	商	河南鹿邑縣長子口墓	河南省文物考古研究所
162	鑿	商	四川廣漢市三星堆遺址2號祭祀坑	四川省三星堆博物館

西周（公元前十一世紀至公元前七七一年）

頁碼	名稱	時代	發現地	收藏地
163	戈	西周	四川成都市金沙遺址	四川省成都市文物考古研究所
163	戈	西周	四川成都市金沙遺址	四川省成都市文物考古研究所
164	連弧刃戈	西周	四川成都市金沙遺址	四川省成都市文物考古研究所
164	璋	西周	四川成都市金沙遺址	四川省成都市文物考古研究所
165	璋	西周	四川成都市金沙遺址	四川省成都市文物考古研究所
165	璋	西周	四川成都市金沙遺址	四川省成都市文物考古研究所
166	有領璧	西周	四川成都市金沙遺址	四川省成都市文物考古研究所
166	四出有領璧形器	西周	四川成都市金沙遺址	四川省成都市文物考古研究所
167	璧	西周	四川成都市金沙遺址	四川省成都市文物考古研究所
167	獸面紋鉞	西周	四川成都市金沙遺址	四川省成都市文物考古研究所
168	梯形器	西周	四川成都市金沙遺址	四川省成都市文物考古研究所
169	神人頭像	西周	四川成都市金沙遺址	四川省成都市文物考古研究所
169	環	西周	四川成都市金沙遺址	四川省成都市文物考古研究所
170	鑿	西周	四川成都市金沙遺址	四川省成都市文物考古研究所
170	錛	西周	四川成都市金沙遺址	四川省成都市文物考古研究所
171	貝	西周	四川成都市金沙遺址	四川省成都市文物考古研究所
171	戈	西周	陝西岐山縣賀家村102號墓	陝西省周原博物館
172	戈	西周	陝西寶鷄市茹家莊	陝西省寶鷄市青銅器博物館
172	戈	西周	陝西西安市長安區張家坡墓地	中國社會科學院考古研究所
173	戈	西周	陝西西安市長安區張家坡墓地	中國社會科學院考古研究所
174	鳳鳥紋戈	西周	陝西扶風縣强家村1號墓	陝西省周原博物館
174	戈	西周	山西曲沃縣晋侯墓地63號墓	山西省考古研究所
175	人首神獸紋戈	西周	山西曲沃縣晋侯墓地63號墓	山西省考古研究所
175	戈	西周	北京房山區琉璃河黄土坡西周墓	首都博物館
176	鳥形戈	西周	山西曲沃縣晋侯墓地63號墓	山西省考古研究所

頁碼	名稱	時代	發現地	收藏地
176	鳳鳥紋琮	西周	陝西西安市長安區張家坡墓地	中國社會科學院考古研究所
177	琮	西周	陝西西安市長安區張家坡墓地	中國社會科學院考古研究所
177	琮	西周	陝西西安市雁塔區山門口村	陝西省西安市文物保護考古所
178	琮	西周	陝西西安市長安區新旺村	陝西省西安市文物保護考古所
178	龍紋璧	西周	陝西扶風縣老堡子村60號墓	陝西省周原博物館
179	龍紋璜	西周	山西曲沃縣晋侯墓地31號墓	山西省考古研究所
179	人形璜	西周	山西曲沃縣晋侯墓地31號墓	山西省考古研究所
180	龍紋璜	西周	山西曲沃縣晋侯墓地31號墓	山西省考古研究所
180	龍紋璜	西周	山東滕州市莊里西村	山東省滕州市博物館
181	鳥紋璜	西周	陝西西安市長安區灃西配件廠	陝西省西安市文物保護考古所
181	饕餮紋鉞	西周	河南安陽市花園莊54號墓	中國社會科學院考古研究所
182	鳳鳥紋刀	西周	山東濟陽縣姜集鄉劉臺子村	山東省德州市文化局
182	龍紋刀	西周	河南洛陽市北窑西周墓	河南省洛陽博物館
183	組佩	西周	陝西扶風縣强家村1號墓	陝西省周原博物館
184	組佩	西周	山西曲沃縣晋侯墓地92號墓	山西省考古研究所
185	組佩	西周	陝西扶風縣强家村	陝西省周原博物館
186	多璜組佩	西周	山西曲沃縣晋侯墓地63號墓	山西省考古研究所
186	七璜聯珠組佩	西周	河南三門峽市虢國墓地	河南博物院
187	組佩	西周	山西曲沃縣晋侯墓地31號墓	山西省考古研究所
187	項飾	西周	山東曲阜市魯國故城	山東省曲阜市文物局
188	玉牌連珠串飾	西周	山西曲沃縣晋侯墓地31號墓	山西省考古研究所
189	項飾	西周	山西曲沃縣晋侯墓地102號墓	山西省考古研究所
190	鳳紋璜	西周	陝西西安市長安區張家坡273號墓	中國社會科學院考古研究所
190	鳳紋璜	西周	陝西西安市長安區張家坡152號墓	中國社會科學院考古研究所
191	雙龍紋璜	西周	河南三門峽市虢國墓地	河南省三門峽市博物館
191	龍形佩	西周	陝西西安市長安區張家坡墓地	中國社會科學院考古研究所
192	龍形佩	西周	陝西西安市長安區張家坡墓地	中國社會科學院考古研究所
192	龍形佩	西周	陝西西安市長安區張家坡墓地	中國社會科學院考古研究所
193	龍形佩	西周	陝西西安市長安區張家坡157號墓	中國社會科學院考古研究所
193	人首龍紋佩	西周	陝西扶風縣黄堆村3號墓	陝西省周原博物館
194	雙人首龍鳳紋佩	西周	陝西西安市長安區張家坡157號墓	中國社會科學院考古研究所
195	龍形佩	西周	河南三門峽市虢國墓地	河南省三門峽市虢國博物館
195	盤龍形佩	西周	河南三門峽市虢國墓地	河南省三門峽市虢國博物館
196	夔龍紋佩	西周	山東滕州市莊里西村	山東省滕州市博物館

頁碼	名稱	時代	發現地	收藏地
196	人首龍形佩	西周	山西曲沃縣晋侯墓地63號墓	山西省考古研究所
197	人首龍形佩	西周	河南三門峽市虢國墓地	河南省三門峽市虢國博物館
197	人首龍形佩	西周		故宫博物院
198	人形佩	西周	陝西扶風縣黄堆村25號墓	陝西省周原博物館
198	人形佩	西周	河南平頂山市應國墓地	河南博物院
199	人龍鳥獸紋佩	西周	陝西西安市長安區張家坡墓地	中國社會科學院考古研究所
199	巨冠鳥形佩	西周	河南三門峽市虢國墓地	河南省文物考古研究所
200	鳥形佩	西周	陝西岐山縣王家嘴2號墓	陝西省周原博物館
200	鳥形佩	西周	陝西扶風縣齊家村19號墓	陝西省周原博物館
201	鳥魚形佩	西周	河南三門峽市虢國墓地	河南省三門峽市虢國博物館
201	鳥形佩	西周	陝西西安市長安區張家坡50號墓	中國社會科學院考古研究所
202	鳳鳥形佩	西周	河南三門峽市虢國墓地	河南省三門峽市虢國博物館
202	鷹形佩	西周	河南平頂山市應國墓地	河南省文物考古研究所
203	鷹形佩	西周	山東滕州市莊里西村	山東省滕州市博物館
203	鸕鷀形佩	西周	山東濟陽縣姜集鄉劉臺子村	山東省濟陽縣博物館
204	鴞形佩	西周	河南洛陽市北窑西周墓	河南省洛陽博物館
204	鴞形佩	西周	山東滕州市前掌大3號墓	中國社會科學院考古研究所
205	虎形佩	西周	陝西寶鷄市茹家莊1號墓	陝西省寶鷄市青銅器博物館
205	虎形佩	西周	陝西寶鷄市茹家莊1號墓	陝西省寶鷄市青銅器博物館
206	牛首形佩	西周	河南三門峽市虢國墓地	河南省三門峽市虢國博物館
206	牛首鳳身形佩	西周	山東濟陽縣劉臺子村6號墓	山東省文物考古研究所
207	馬首形佩	西周	河南三門峽市虢國墓地	河南省三門峽市虢國博物館
207	鹿形佩	西周	陝西寶鷄市茹家莊1號墓	陝西省寶鷄市青銅器博物館
208	鹿形佩	西周	陝西寶鷄市茹家莊1號墓	陝西省寶鷄市青銅器博物館
208	鹿形佩	西周	河南三門峽市虢國墓地	河南省三門峽市虢國博物館
209	鹿形佩	西周	河南三門峽市虢國墓地	河南博物院
209	鹿形佩	西周	山西曲沃縣晋侯墓地63號墓	山西省考古研究所
210	鹿形佩	西周	陝西曲沃縣晋侯墓地9號墓	山西省考古研究所
210	兔形佩	西周	陝西寶鷄市茹家莊1號墓	陝西省寶鷄市青銅器博物館
211	兔形佩	西周	山東濟陽縣姜集鄉劉臺子村	山東省濟陽縣博物館
211	蛇形佩	西周	河南三門峽市虢國墓地	河南省三門峽市虢國博物館
212	蟬形佩	西周	陝西户縣	陝西省西安市文物保護考古所
212	蟬形佩	西周	河南三門峽市虢國墓地	河南省三門峽市虢國博物館
213	魚形佩	西周	陝西淳化縣潤鄉鎮	陝西省咸陽博物館

頁碼	名稱	時代	發現地	收藏地
213	魚形佩	西周	陝西西安市長安區豐鎬遺址	陝西省西安市文物保護考古所
214	鳳紋玦	西周	山西曲沃縣晋侯墓地31號墓	山西省考古研究所
214	龍紋環	西周	山西曲沃縣晋侯墓地63號墓	山西省考古研究所
215	龍形觿	西周	河南三門峽市虢國墓地	河南省三門峽市虢國博物館
215	龍形觿	西周	山西曲沃縣晋侯墓地63號墓	山西省考古研究所
216	龍鳳紋柄形器	西周	山西曲沃縣晋侯墓地31號墓	山西省考古研究所
216	龍鳳紋柄形器	西周		故宫博物院
217	龍鳳紋柄形器	西周	河南三門峽市虢國墓地	河南省三門峽市虢國博物館
217	雙鳳紋柄形器	西周	陝西寶鷄市茹家莊1號墓	陝西省寶鷄市青銅器博物館
218	柄形器	西周	陝西西安市長安區張家坡170號墓	中國社會科學院考古研究所
218	柄形器	西周	河南洛陽市北窑西周墓	河南省洛陽博物館
219	柄形器	西周	河南洛陽市北窑西周墓	河南省洛陽博物館
219	鐲	西周	四川廣漢市	四川博物院
220	覆面	西周	陝西西安市長安區張家坡墓地	中國社會科學院考古研究所
221	覆面	西周	河南三門峽市虢國墓	河南博物院
222	覆面	西周	山西曲沃縣晋侯墓地	山西省考古研究所
223	覆面	西周	山西曲沃縣晋侯墓地92號墓	山西省考古研究所
224	握	西周	河南三門峽市虢國墓地	河南省三門峽市虢國博物館
224	握	西周	山西洪洞縣永凝堡西周墓地5號墓	山西省考古研究所
225	人形飾	西周	山西曲沃縣晋侯墓地63號墓	山西省考古研究所
225	人形飾	西周	山西曲沃縣晋侯墓地63號墓	山西省考古研究所
226	人形飾	西周	山西曲沃縣晋侯墓地63號墓	山西省考古研究所
227	人形飾	西周	河南三門峽市虢國墓地	河南省三門峽市虢國博物館
227	人形飾	西周	甘肅靈臺縣白草坡墓地	甘肅省博物館
228	人形飾	西周	甘肅靈臺縣白草坡墓地	甘肅省博物館
228	人面紋飾	西周		故宫博物院
229	人形飾	西周	山西曲沃縣村晋侯墓地8號墓	山西省考古研究所
230	虎形飾	西周	河南洛陽市北窑西周墓	河南省洛陽博物館
230	牛形飾	西周	山西曲沃縣晋侯墓地63號墓	山西省考古研究所
231	馬形飾	西周	山西曲沃縣晋侯墓地63號墓	山西省考古研究所
231	羊形飾	西周	山西曲沃縣晋侯墓地63號墓	山西省考古研究所
232	龜形飾	西周	山西曲沃縣晋侯墓地63號墓	山西省考古研究所
232	龜形飾	西周	山東濟陽縣劉臺子村6號墓	山東省文物考古研究所
233	螳螂形飾	西周	山西曲沃縣晋侯墓地63號墓	山西省考古研究所

頁碼	名稱	時代	發現地	收藏地
233	團龍紋飾	西周	山西洪洞縣水凝堡	山西省考古研究所
234	人龍形飾	西周	山西曲沃縣晉侯墓地31號墓	山西省考古研究所
234	龍形飾	西周	山西曲沃縣晉侯墓地31號墓	山西省考古研究所
235	牛形飾	西周	山西曲沃縣晉侯墓地63號墓	山西省考古研究所
235	鳳鳥形飾	西周	山西曲沃縣晉侯墓地63號墓	山西省考古研究所
236	猴龍形飾	西周	山西曲沃縣晉侯墓地102號墓	山西省考古研究所
236	四龍首紋牌飾	西周	山西曲沃縣晉侯墓地102號墓	山西省考古研究所
237	罍	西周	山西曲沃縣晉侯墓地63號墓	山西省考古研究所
237	鼓	西周	山西曲沃縣晉侯墓地63號墓	山西省考古研究所
238	牛形調色器	西周	河南洛陽市北窑西周墓	河南省洛陽博物館
239	箍形器	西周		故宮博物院
239	繩紋管	西周		天津博物館

玦

興隆窪文化
内蒙古敖漢旗寶國吐鄉興隆窪村出土。
外徑長2.8–2.9厘米。
器體均呈圓環狀，一側有窄缺口，靠近内緣起一周棱綫。
現藏中國社會科學院考古研究所。

匕形器

興隆窪文化
内蒙古敖漢旗寶國吐鄉興隆窪村出土。
長3.6厘米。
器體呈長條狀，末端爲圓弧形，近頂端中部鑽一圓孔。
現藏中國社會科學院考古研究所。

匕形器

興隆窪文化
内蒙古敖漢旗大甸子鄉旺興溝出土。
長6.5、下端寬1.2厘米。
呈匕形，上孔一面穿，下端有弧刃，上端扁平。
現藏内蒙古自治區敖漢旗博物館。

蟬形飾

興隆窪文化
內蒙古林西縣白音長汗遺址出土。
長3.2、寬1.8厘米。
正面上端頭部凸起，面部鑽出兩個圓眼，尾部磨出三道凹槽。背部半圓形，側面橫穿一孔。
現藏內蒙古自治區文物考古研究所。

雙孔鉞

仰韶文化
河南南陽市高塘村出土。
長12、寬11.5厘米。
扁平長方形，上有二穿孔。通體磨光，無使用痕迹。
現藏河南省南陽市博物館。

璜

仰韶文化
河南臨汝縣北劉莊遺址出土。
長4.2、寬2厘米。
體呈半環形，素面，璜的兩端各有一圓穿孔。
現藏河南博物院。

瑪瑙玦

馬家浜文化
浙江嘉興市吴家浜遺址出土。
直徑5.6厘米。
瑪瑙質。體呈圓環狀，一側有窄缺口。
現藏浙江省嘉興博物館。

玦

馬家浜文化
浙江杭州市餘杭區梅園里遺址出土。
直徑3.3–7.8厘米。
小玦位于墓主人頭兩側，大玦位于手部。
現藏浙江省文物考古研究所。

鉞

崧澤文化
江蘇蘇州市唯亭鎮草鞋山遺址出土。
長13厘米。
扁平長方形，寬弧刃，斜肩，鈍端斜直，對鑽雙孔。
現藏南京博物院。

璜

崧澤文化
江蘇蘇州市唯亭鎮草鞋山遺址出土。
高3.4、寬8.4厘米。
半環形，兩端各鑽一孔。
現藏南京博物院。

璜

北陰陽營文化
江蘇南京市鼓樓崗北陰陽營墓出土。
長8.7厘米。
半環形，璜體一面圓弧，另一面扁平，并留下明顯的抛物綫切割痕。兩端有繫挂的小孔。
現藏南京博物院。

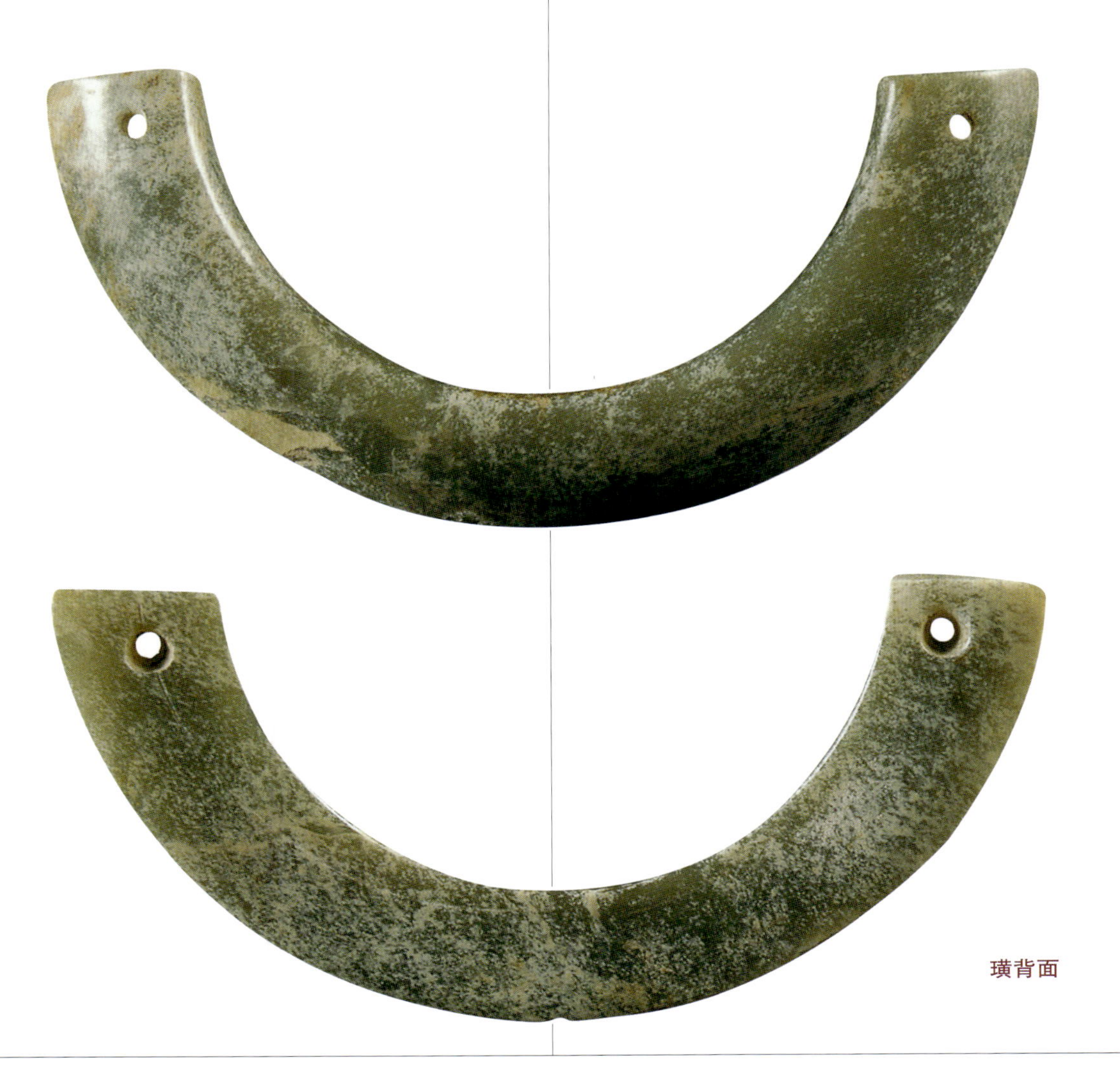

璜背面

琮

大汶口文化

高49.2、上寬6.4、下寬5.6厘米。

器爲方柱體，中間有上下對穿圓孔。器身分爲十九節，每節以四角爲中軸，琢刻一組簡化的神面紋。上端射部正中刻有陰綫的“[illegible]”形紋飾，與山東莒縣出土大汶口文化陶尊的紋飾相同。

現藏中國國家博物館。

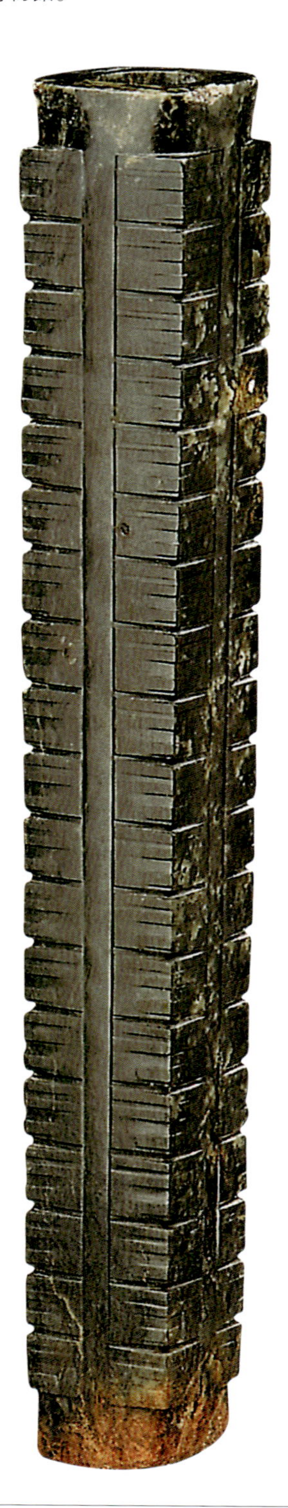

琮

大汶口文化

安徽肥東縣張集鄉劉崗村出土。

高39.9、上寬7.7、下寬7厘米。

體作上大下小的方柱形，中心有一對穿圓孔，有臺痕。四面正中飾一道竪直寬凹槽，以較粗的横刻陰弦紋爲界，將器體分爲十五節。每節以邊角爲中軸綫，各飾四組人面紋。

現藏安徽省博物館。

鏟（右圖）

大汶口文化

山東莒縣陵陽鎮出土。

高19.6、寬10、孔徑1.6厘米。

器扁平，爲長方形。頂端平整，兩側較直，器四邊較薄，兩面刃，刃部略呈弧形。上部有一圓孔，兩面對鑽。

現藏山東省莒縣博物館。

刀

大汶口文化

安徽蕭縣皇藏峪金寨遺址出土。

長13.4厘米。

直背弧刃，刀身中部鏤出長條形握孔，首部和柄部各飾三道凹槽。

現藏安徽省蕭縣博物館。

錐形器

大汶口文化
山東莒縣陵陽鎮出土。
左高7.2、右高8.5厘米。
兩件。整體近長四棱錐形，通體拋光，刃部鋒利，末端鋌部殘。
現藏山東省文物考古研究所。

錐形器

大汶口文化
安徽蕭縣皇藏峪金寨遺址出土。
長25.5厘米。
器作長方體尖錐角，上有短榫，對鑽一小孔。錐體上部四面淺浮雕八組簡化神人面紋，間以五道細弦紋相隔拉開，下部及錐尖部分爲素面。
現藏安徽省蕭縣博物館。

人面紋飾
大汶口文化
山東滕州市崗上村出土。
高3.1、寬3.6厘米。
以矽質灰岩刻成，五官分明，通體磨光。
現藏山東省滕州市博物館。

鐲
大汶口文化
山東廣饒縣出土。
高3.7、兩端徑7.8、中間束腰直徑7.4厘米。
兩端外侈，中間束腰，中部對應有兩處裂痕，每處裂痕之內壁均有兩兩對應的四個圓孔，應爲修補之用。
現藏山東省文物考古研究所。

人面紋佩另一面

人面紋佩

大溪文化
重慶巫山縣大溪遺址64號墓出土。
高6、寬3.6厘米。
器扁平，呈橢圓形。經打磨，表面光亮。
現藏重慶市博物館。

人形佩（右圖）

大溪文化
重慶巫山縣出土。
高6.8、最寬3.5厘米。
立體圓雕。一大一小二人，作背負狀，上、下肢比例失調。前面大人雙手叉于腿上，作半蹲狀。後面小人頭枕大人右肩向前瞭望。
現藏重慶市巫山縣文物管理所。

龍

紅山文化
內蒙古翁牛特旗三星他拉村出土。
高26、曲長57厘米。
龍體呈“C”形，吻部前伸，雙目呈棱形。頸後竪一道彎勾狀長鬣。器體中部有一孔。
現藏中國國家博物館。

龍

紅山文化
内蒙古翁牛特旗廣德公鄉黄谷屯出土。
高16.8厘米。
龍體呈“C”形，吻部前伸，頸後竪長鬣。通體拋光。
現藏内蒙古自治區翁牛特旗博物館。

猪龍（右圖）

紅山文化
内蒙古敖漢旗薩力巴鄉干飯營子出土。
高7.5、寬5.8厘米。
整體玦形。獸首，兩立耳殘，圓睛突起，嘴部較短，嘴與鼻前突，圓鼻孔，額角前突。大孔管鑽，有旋轉痕，小孔兩面穿。
現藏内蒙古自治區敖漢旗博物館。

猪龍

紅山文化
遼寧朝陽市牛河梁遺址墓葬出土。
高10.3厘米。
龍體蜷曲，雙耳豎起，雙目略外鼓，頸部有一孔。
現藏遼寧省文物考古研究所。

豬龍

紅山文化
内蒙古巴林右旗羊場鄉額爾根勿蘇村采集。
高16.8、寬11.5厘米。
龍體蜷曲，頭尾内側相接，雙耳
呈尖弧狀竪起。頸部對穿一孔。
現藏内蒙古自治區古巴林右旗博物館。

雙聯璧（右圖）

紅山文化
遼寧朝陽市牛河梁遺址墓葬出土。
高13、最寬8厘米。
器扁平，形狀似兩個璧相聯，
上小下大。通體抛光。
現藏遼寧省博物館。

三聯璧（右圖）

紅山文化
遼寧阜新市胡頭溝村墓葬出土。
高6.4厘米。
體扁平，似三璧相聯。
現藏遼寧省博物館。

勾雲形器

紅山文化
內蒙古巴林右旗那斯臺遺址出土。
長18.2、寬10.9厘米。
中心部分鏤空，作一勾雲狀捲角。
器兩側各外伸一對勾角。
現藏內蒙古自治區巴林右旗博物館。

勾雲形器

紅山文化
遼寧朝陽市牛河梁遺址墓葬出土。
長22.5、寬11.5厘米。
器呈長方形，中部彎弧狀鏤空。
現藏遼寧省博物館。

勾雲形器

紅山文化
遼寧朝陽市牛河梁遺址墓葬出土。
長28.7、寬9.5厘米。
器體爲圓角長方形。雙面雕，中上部雕出眉、目，中下部雕五齒，呈獸面狀，獸面左右對稱。
現藏遼寧省文物考古研究所。

勾雲形器

紅山文化

陝西鳳翔縣上鍋店村出土。

長11.4、寬4.3厘米。

片狀，左右對稱，整體爲一抽象鴞形，中央有兩個圓孔，以示鴞之雙目，圓孔上部均鏤雕一弧狀透孔，以示鴞之眉。器下部琢出五組條形齒，器兩面相同，器上還布滿了瓦溝形紋。

現藏陝西省鳳翔縣博物館。

雙獸首三孔器

紅山文化

遼寧朝陽市牛河梁遺址墓葬出土。

長9.2、寬2.8厘米。

器呈長條狀，頂部呈三聯弧狀，底部平直，兩端各雕一猪首。中部并排鑽有三個較大的圓孔。

現藏遼寧省博物館。

馬蹄形器

紅山文化
遼寧朝陽市牛河梁遺址墓葬出土。
高18.7、上口徑11–8、下口徑8–6.5厘米。
外壁琢磨光滑，内壁有斜道琢痕。下端兩側各有一小圓孔。
現藏遼寧省文物考古研究所。

獸面紋丫形器

紅山文化
遼寧阜新市福興地遺址采集。
長12.1、寬6厘米。
上部爲獸首狀，頂端開丫形叉爲獸耳。下部周身飾瓦溝狀弦紋，近底部鑽一孔。
現藏遼寧省博物館。

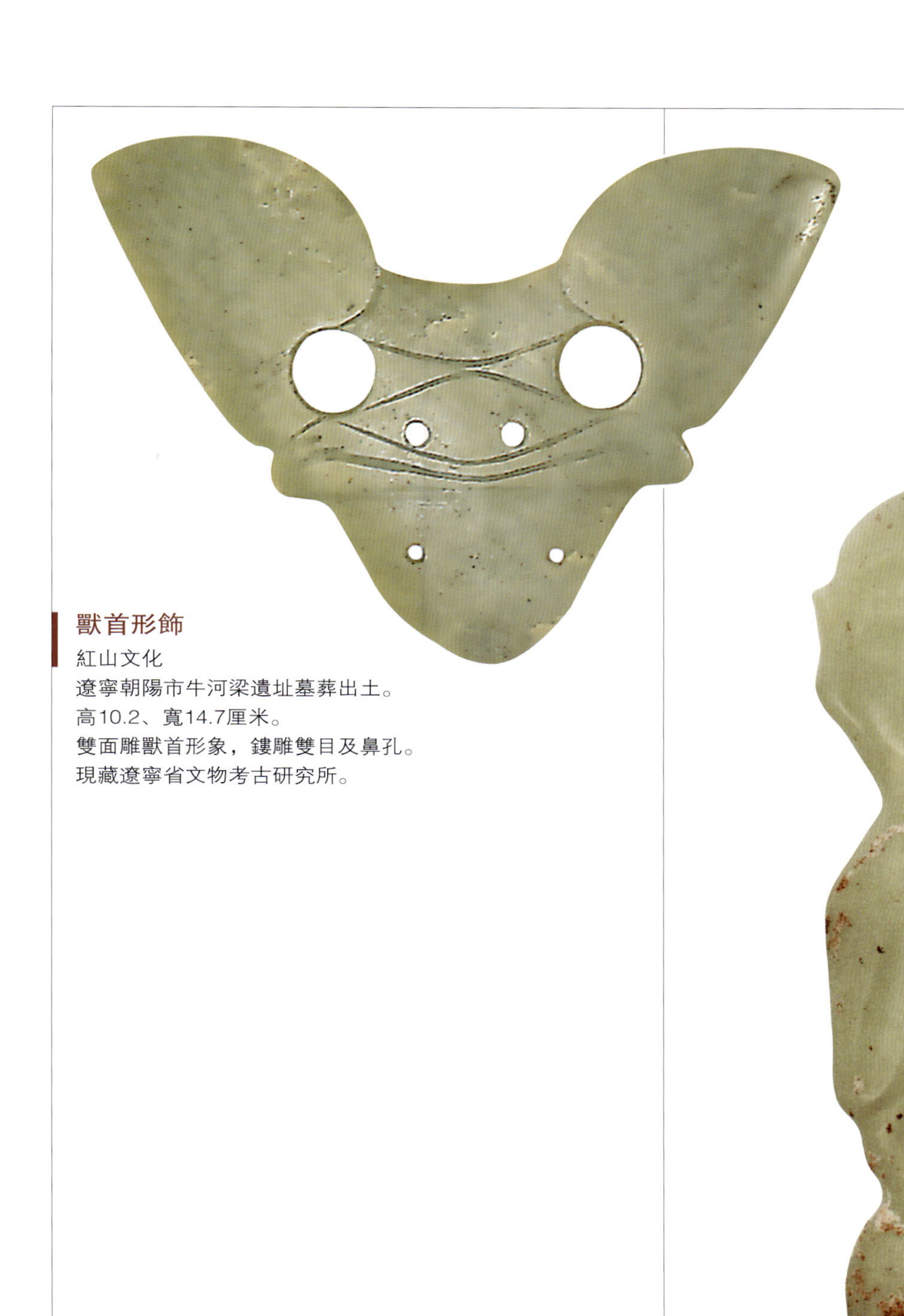

獸首形飾

紅山文化
遼寧朝陽市牛河梁遺址墓葬出土。
高10.2、寬14.7厘米。
雙面雕獸首形象，鏤雕雙目及鼻孔。
現藏遼寧省文物考古研究所。

人形飾（右圖）

紅山文化
遼寧朝陽市牛河梁遺址4號中心大墓出土。
高18.5厘米。
體形圓厚，五官清晰，雙臂上展，雙手置于胸前，雙腿并立，在頸的兩側及頸後鑽通連的三孔，可佩繫。
現藏遼寧省文物考古研究所。

鳳鳥形飾

紅山文化

遼寧朝陽市牛河梁遺址4號中心大墓出土。

長19.5厘米。

扁平，卧姿，曲頸回首，高冠，圓睛突出，背羽上揚，尾羽下垂。

現藏遼寧省文物考古研究所。

鴞形飾

紅山文化
內蒙古巴林右旗那斯臺遺址出土。
長6.1、寬6厘米。
背平直，在頭部和兩翼脅下有交叉鑽孔三對，可佩繫。
現藏內蒙古自治區巴林右旗博物館。

綠松石鴞形飾

紅山文化
遼寧喀喇沁左翼蒙古族自治縣東山嘴遺址出土。
長2.4、寬2.8厘米。
正面爲綠松石，背爲黑灰石片。頭部穿一孔成目，尾微上捲。爲耳飾。
現藏遼寧省博物館。

鴞形飾

紅山文化
遼寧阜新市胡頭溝1號墓出土。
長3.1厘米。
現藏遼寧省博物館。

龜形飾

紅山文化
遼寧朝陽市牛河梁遺址墓葬出土。
長9、寬7厘米。
頭部呈三角形，頸部及四足内縮。
現藏遼寧省文物考古研究所。

龜形飾

紅山文化
遼寧阜新市胡頭溝1號墓出土。
長9、寬4.8厘米。
頭、尾外伸，四足內縮，背光滑。
現藏遼寧省博物館。

龜形飾

紅山文化
遼寧朝陽市牛河梁遺址墓葬出土。
長5.3、寬4.1、高2.7厘米。
龜背陰綫刻龜背紋。龜頭和尾內收。
現藏遼寧省文物考古研究所。

蠶形飾

紅山文化
內蒙古巴林右旗那斯臺遺址出土。
長8–9、寬3.4–3.8厘米。
二件。圓雕，頭部雕兩眼，頸背刻出凸綫紋。
現藏內蒙古自治區赤峰市博物館。

環

紅山文化
遼寧朝陽市牛河梁遺址墓葬出土。
直徑8.5厘米。
器體呈圓形，截面呈三角形。
現藏遼寧省文物考古研究所。

鈎形器

紅山文化
內蒙古巴林右旗那斯臺遺址出土。
長7、寬2.5厘米。
器前端略彎，作鈎狀。中間琢出兩道平行凸脊，器末端偏下部有一孔。
現藏內蒙古自治區巴林右旗博物館。

璧

凌家灘文化
安徽含山縣凌家灘遺址出土。
直徑6.1厘米。
器扁圓形。孔壁上有對鑽臺迹。
現藏安徽省文物考古研究所。

刻圖長方形版

凌家灘文化
安徽含山縣凌家灘遺址出土。
長11、寬8.3厘米。
三邊琢磨出凹邊，四邊鑽孔。中部淺刻橢圓形圖案。兩圓間以直綫平分八等分，每分刻一圭形紋飾，在大圓外沿周邊四角亦刻圭形紋飾。背面稍凹。
現藏故宮博物院。

瑪瑙斧（右圖）

凌家灘文化
安徽含山縣凌家灘遺址28號墓出土。
長19.5、寬7.2厘米。
瑪瑙質。近頂部有一圓穿孔。
現藏安徽省文物考古研究所。

雙獸首璜

凌家灘文化
安徽含山縣凌家灘遺址出土。
長11.9厘米。
兩端以陰綫雕獸首。兩面紋飾相同。
現藏安徽省文物考古研究所。

璜

凌家灘文化
安徽含山縣凌家灘遺址出土。
長12.1、寬2.1厘米。
外圓邊陰刻一周凹綫，凹邊刻齒牙。
現藏安徽省文物考古研究所。

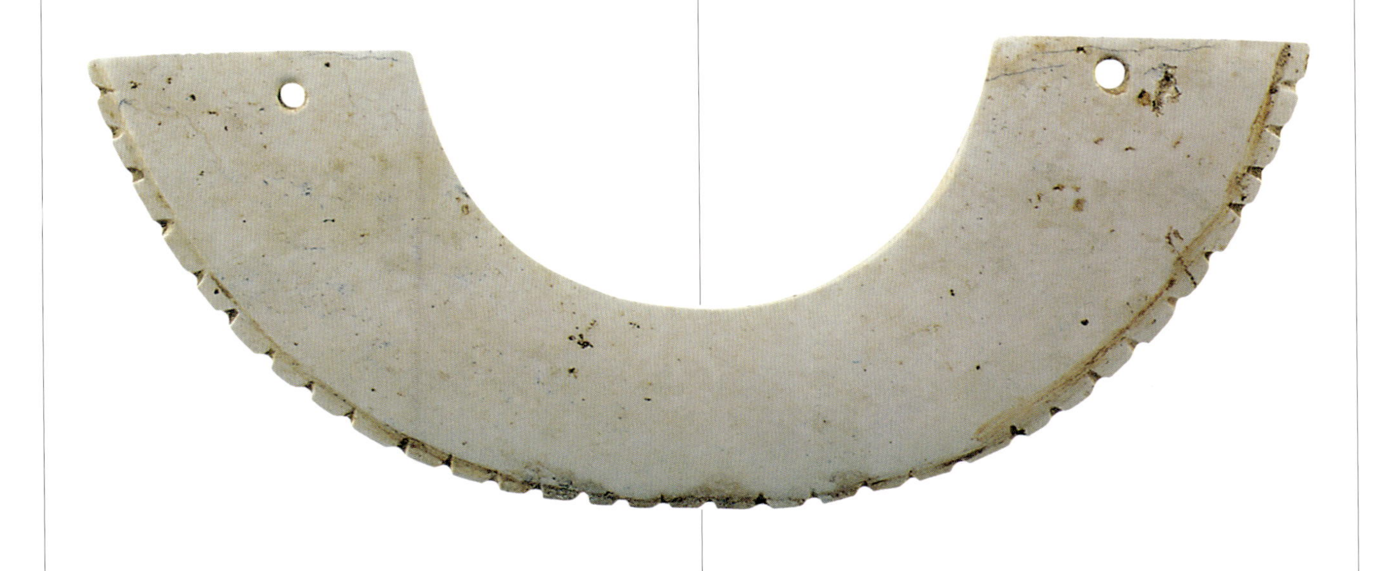

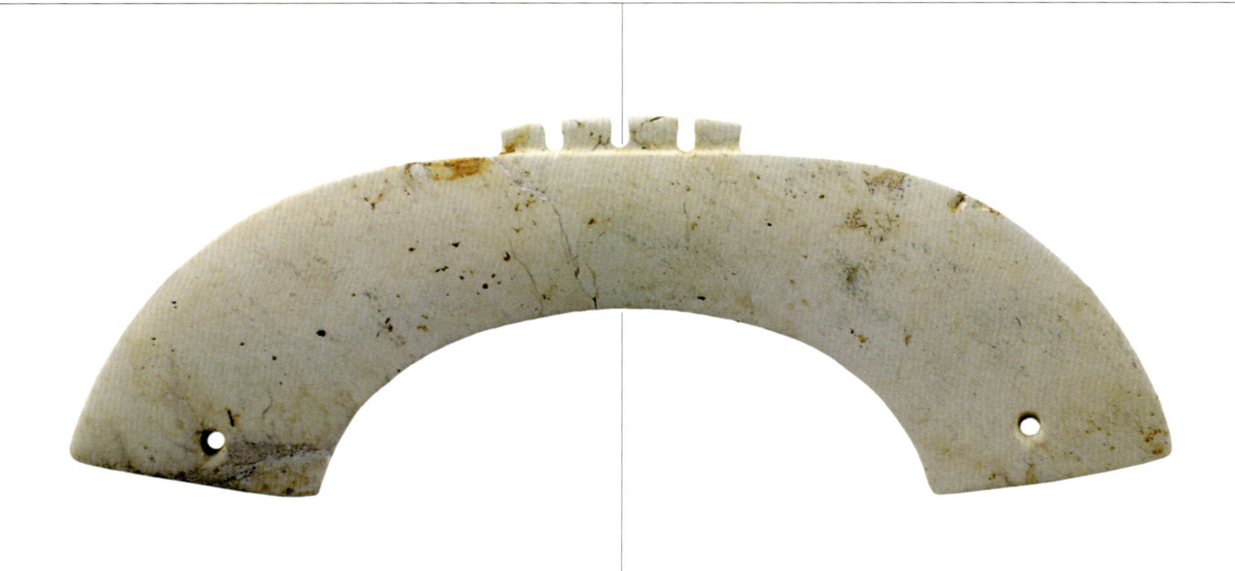

璜

凌家灘文化
安徽含山縣凌家灘遺址10號墓出土。
長11.5、寬2.7厘米。
器橋形。頂端刻磨四個齒牙，
兩端中間各對鑽一圓孔。
現藏安徽省文物考古研究所。

瑪瑙璜

凌家灘文化
安徽含山縣凌家灘遺址15號墓出土。
長15.7、寬1.4厘米。
瑪瑙質。璜呈圓弧形，兩端有穿孔。
現藏安徽省文物考古研究所。

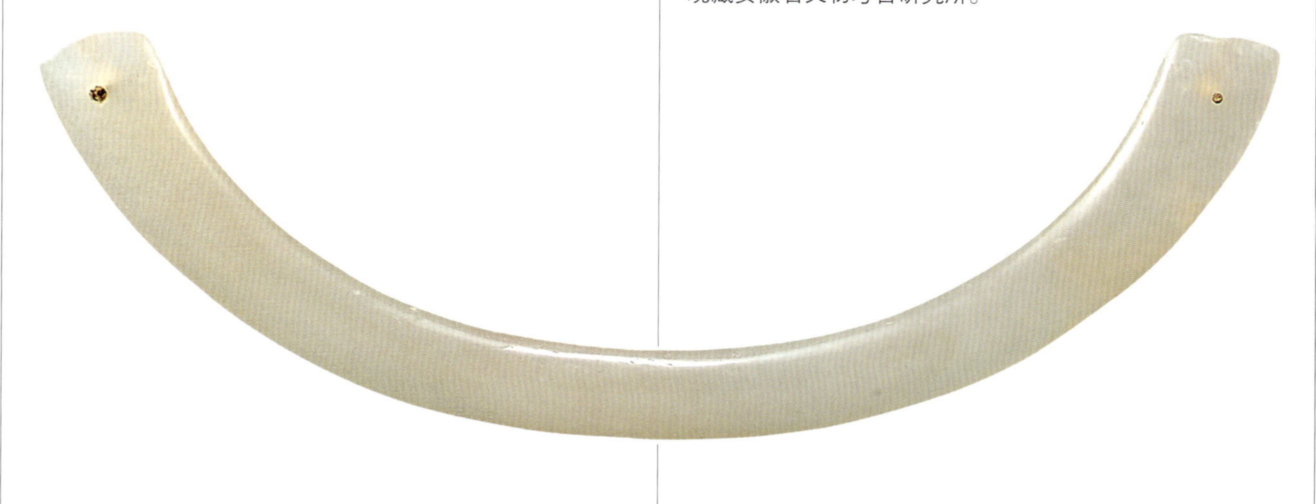

冠形飾

凌家灘文化
安徽含山縣凌家灘遺址15號墓出土。
高3.6、長6.6厘米。
器頂端呈“人”字直角。底部長方形，長方形上刻三條槽綫，兩端各對鑽一圓孔。
現藏安徽省文物考古研究所。

人形飾（右圖）

凌家灘文化
安徽含山縣凌家灘遺址1號墓出土。
高9.6厘米。
頭戴冠，冠上飾兩排方格紋，雙臂彎曲，臂上各飾六個環，十指張開置于胸前。腰上飾帶。
現藏故宮博物院。

人形飾

凌家灘文化

安徽含山縣凌家灘遺址29號墓出土。

高8.1、肩寬2.3厘米。

器長扁形。長方臉，頭戴圓冠，冠飾方格紋，頂上三小圓鈕飾。兩大耳下部各飾一孔眼。臂上各飾八個玉環。腰間飾有五斜條紋的腰帶。大腿和臀部寬大，脚指張開。

現藏安徽省文物考古研究所。

人形飾背面

龍形飾

凌家灘文化
安徽含山縣凌家灘遺址1號墓出土。
高4.4厘米。
龍首尾相連，吻部突出，頭上有雙角，
龍身陰刻脊背和鱗片。
現藏安徽省文物考古研究所。

鷹形飾

凌家灘文化
安徽含山縣凌家灘遺址1號墓出土。
長8.4、高3.5厘米。
鷹作展翅飛翔狀，兩翼如獸首，
腹部刻圓圈八角星紋。
現藏安徽省文物考古研究所。

龜形飾

凌家灘文化

安徽含山縣凌家灘遺址出土。

長9.4、寬7.6厘米。

以寫實手法琢磨成形，孔間有陰槽相連，供穿繫捆扎用。

現藏故宮博物院。

葉形飾

凌家灘文化

安徽含山縣凌家灘遺址出土。

高10.3、底寬6厘米。

正面刻對稱葉脉紋，背面光素無紋。

現藏故宮博物院。

玦

凌家灘文化
安徽含山縣凌家灘遺址出土。
直徑7.3厘米。
器扁圓形。環最寬處有一缺口。玦有一斷痕，兩邊各對鑽圓孔。
現藏安徽省文物考古研究所。

環

凌家灘文化
安徽含山縣凌家灘遺址10號墓出土。
直徑6.9厘米。
器扁三角圓形。兩件組合。
現藏安徽省文物考古研究所。

瑪瑙環

凌家灘文化
安徽含山縣凌家灘遺址出土。
直徑5厘米。
瑪瑙質。環面對稱鑽兩圓孔。
現藏安徽省巢湖市博物館。

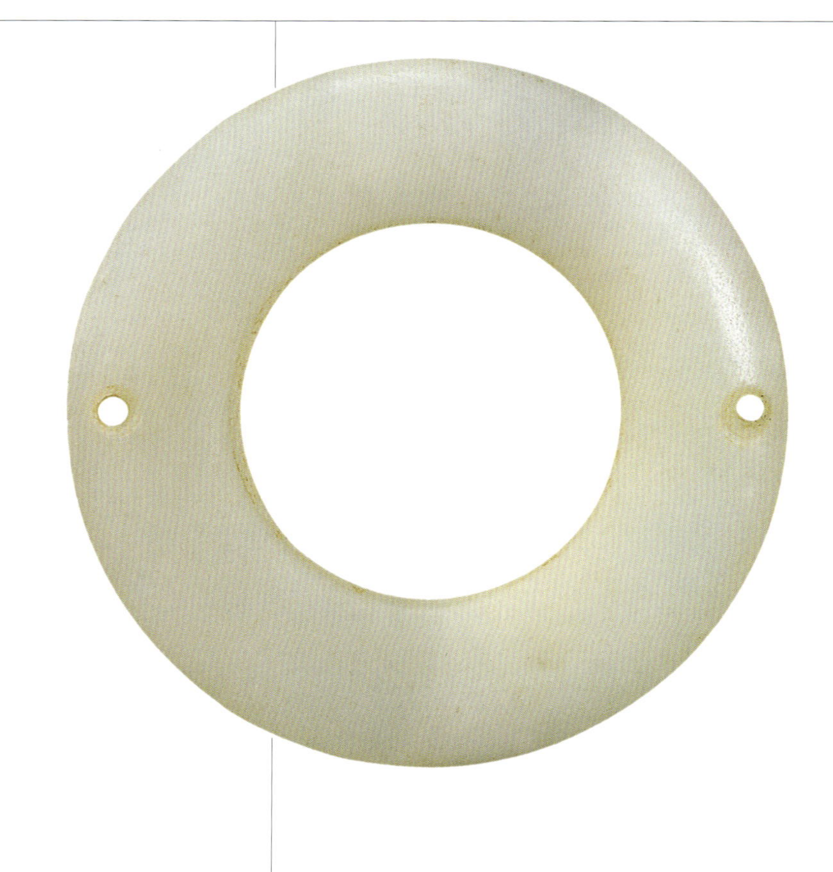

箍形飾

凌家灘文化
安徽含山縣凌家灘遺址4號墓出土。
直徑4.6厘米。
器圓形。外壁略凸弧，內壁平直。
現藏安徽省文物考古研究所。

鐲

凌家灘文化
安徽含山縣凌家灘遺址出土。
直徑8厘米。
圓環大小、造型、抛光與今天的玉鐲無別。
現藏安徽省文物考古研究所。

勺

凌家灘文化
安徽含山縣凌家灘遺址出土。
長16.5厘米。
長柄舌形勺，柄端有鑽孔。
現藏故宮博物院。

神人獸面紋琮

良渚文化
浙江杭州市餘杭區瑤山出土。
高4.5、射徑7.9、孔徑6.7厘米。
陰綫雕刻與淺浮雕相結合，突出獸面眼、鼻、嘴、牙，使形象猙獰可怖。
現藏浙江省文物考古研究所。

神人獸面紋琮

良渚文化
浙江杭州市餘杭區瑤山12號墓出土。
高5.9、射徑7、孔徑5.8厘米。
共分二節，上節四角處刻簡化神人獸面紋，下節繁刻獸面紋。
現藏浙江省文物考古研究所。

神人獸面紋琮

良渚文化
江蘇武進市寺墩墓葬出土。
高7.2、射徑8.6、孔徑6.7厘米。
扁方柱，柱筒形，外方內圓，內孔對鑽而成。
器分上下兩節，每節四角雕神人獸面紋。
現藏南京博物院。

神人獸面紋琮

良渚文化

江蘇武進市寺墩1號墓出土。

高5.5厘米。

外方内圓形，上大下小，中間對鑽圓孔，外表器分兩節，以四角爲中心，琢磨簡化神人獸面紋。

底部有缺損現象。

現藏南京博物院。

神人獸面紋琮

良渚文化

上海青浦區福泉山9號墓出土。

高5、射徑7.4、孔徑6.9厘米。

矮方柱體，上大下小，内圓外方，中間有一圓孔。

器表四面以直槽分爲兩塊，以横槽分爲上下兩節，每節四角飾神人獸面紋。

現藏上海文物管理委員會。

神人獸面紋琮

良渚文化
浙江杭州市餘杭區反山出土。
高10、孔徑6.6厘米。
器分三節，每節四角雕刻神人獸面紋，居中者略大。
現藏浙江省文物考古研究所。

神人獸面紋琮

良渚文化
浙江杭州市餘杭區反山出土。
高8.8、射徑17.1、孔徑4.9厘米。
四面中間豎槽內各刻兩個神人獸面神徽圖案，四角分四節，每節刻神人獸面紋。
現藏浙江省文物考古研究所。

獸面紋琮

良渚文化

上海青浦區福泉山40號墓出土。

上高8.1、孔徑4.8厘米，下高8.1、孔徑4.6 厘米。

上下兩件相合。長方柱體，上大下小，内圓外方，中間有一圓孔。每件器表四面以直槽分爲兩塊，以横槽分爲上中下三節，每節雕刻四個獸面。

現藏上海文物管理委員會。

人面紋琮

良渚文化

江蘇武進市寺墩墓葬出土。

高29.6厘米，射徑上端6.1、下端5.2厘米，孔徑上端3.8、下端3.4厘米。

長方柱體。對鑽孔内有突出的臺痕和明顯的鑽槽，下端孔壁上有弦紋。分十三節，每節以四角爲中軸綫，飾簡化人面紋。一面有弧形鋸切痕三組共十餘道。

現藏南京博物院。

神人獸面紋琮

良渚文化
江蘇蘇州市草鞋山198號墓出土。
高18.1、上端射徑7.3、下端射徑6.9、孔徑5.1厘米。
長方柱體，上大下小，內圓外方，中間有一圓孔。器分七節，每節以四角爲中心，琢磨簡化神人獸面紋。
現藏南京博物院。

柱形器

良渚文化

浙江杭州市餘杭區反山12號墓出土。

高10.5、直徑4厘米。

圓柱體，中部有一細孔。整體雕飾豎向四列橫向三層共十二幅神人獸面像。

現藏浙江省文物考古研究所。

柱形器

良渚文化
浙江杭州市餘杭區反山16號墓出土。
高4.2、直徑4.3厘米。
圓柱體，中部有一孔，上端帶蓋，蓋頂弧形，蓋底平整，底中有斜向鑽成的小孔，柱體表面淺浮雕和陰刻獸面紋飾。
現藏浙江省文物考古研究所。

柱形器

良渚文化
浙江杭州市餘杭區橫山出土。
高5.5、直徑4.7厘米。
圓柱形。柱體以减地淺浮雕法雕出四組交錯分布的獸面紋。
現藏浙江省杭州市中國江南水鄉文化博物館。

柱形器另一面

刻符璧

良渚文化

浙江杭州市餘杭區安溪鄉出土。

直徑26.2厘米。

兩面以陰綫銘刻符號，一面刻一鉞形框，内有一展翅的鳥形圖案。另一面是玉璋形圖案。

現藏浙江省文物鑒定委員會。

刻符璧局部之一

刻符璧局部之二

三叉形器

良渚文化

浙江杭州市餘杭區反山14號墓出土。

高3.6、寬5.9厘米。

背面三叉的上端和下端的正中部均有凸塊，凸塊上皆鑽有上下貫通的小孔。正面中部陰綫細刻圖像。上部爲獸面紋，獸面上方以尖頂的弧形邊框象徵羽冠的頂部。獸面下方爲蹲踞的下肢。獸面除眼外均刻捲雲紋。左右兩叉上端陰刻一鳥紋。背面四個凸塊上均以陰紋刻捲雲紋、弧曲紋等繁密圖案。

現藏浙江省文物考古研究所。

三叉形器背面

三叉形器

良渚文化
浙江杭州市餘杭區瑶山出土。
高4.8、寬8.5厘米。
三叉上部平齊，中叉較低，有豎向貫孔。左右叉飾側面神人形象，中叉上部飾羽狀紋，下部飾獸面紋。
現藏浙江省文物考古研究所。

三叉形器

良渚文化
浙江杭州市餘杭區瑶山出土。
高5.2、寬7.4厘米。
上部有三叉。中叉上有孔貫通上下。正面飾神人獸面紋，三叉上飾羽狀紋。背面平素。
現藏浙江省文物考古研究所。

牌形飾

良渚文化
浙江杭州市餘杭區瑤山出土。
高6.2、寬8.3厘米。
正面雕琢半完整的神人獸面，神人頸部鏤空，獸面之上和神人兩側陰刻捲雲紋。
現藏浙江省文物考古研究所。

牌形飾

良渚文化
浙江杭州市餘杭區瑤山出土。
高3.9、寬7厘米。
平面略呈半圓形，以鏤空加陰刻手法表現獸面。
現藏浙江省文物考古研究所。

管形飾

良渚文化
浙江杭州市餘杭區瑤山10號墓出土。
高8厘米。
圓柱形，分三節，圖案相同，
每節上用浮雕和綫刻獸面紋。
現藏浙江省文物考古研究所。

管形飾

良渚文化
浙江杭州市餘杭區瑤山2號墓出土。
高6.7厘米。
圓柱形，中間貫穿一孔，整體分爲兩節半，上面兩節圖案相同，爲簡化的神徽，下半節爲神徽的一半。
現藏浙江省文物考古研究所。

神人獸面紋璜
良渚文化
浙江杭州市餘杭區反山出土。
高3.7、寬7.5厘米。
兩面對稱，以透雕和陰刻技法雕琢神人獸面紋。
現藏浙江省文物考古研究所。

璜形器
良渚文化
浙江杭州市餘杭區瑤山出土。
高5.7、寬14.7厘米。
器呈半月形，中部綫刻簡化神人獸面紋。
現藏浙江省文物考古研究所。

璜形器

良渚文化

浙江杭州市餘杭區長命鳳山出土。

高5.4、寬11.7厘米。

半璧形。正面淺浮雕神人獸面紋。

現藏浙江省杭州市中國江南水鄉文化博物館。

鉞

良渚文化

江蘇昆山市少卿山出土。

高18.9、頂端寬9.5、刃部寬12.7厘米。

體形爲扁薄長方形，上端較窄，刃部較寬，弧刃未開口。

現藏江蘇省昆山市文物管理所。

神人獸面紋鉞

良渚文化

浙江杭州市餘杭區反山出土。

鉞高17.9、上寬14.4、刃寬16.8厘米，柄冠飾前端高4.6、後端高3.6、寬8.4厘米，柄座高2.3、長8.4厘米。

在一面靠近鉞刃部的上角，淺浮雕有神人獸面徽記，下面雕有一鳥。

現藏浙江省文物考古研究所。

神人獸面紋鉞局部

斧

良渚文化
上海青浦區福泉山出土。
高21.9、寬16厘米。
刃口無使用痕迹。
現藏上海博物館。

環

良渚文化
浙江杭州市餘杭區反山出土。
直徑11厘米。
圓形，環面無紋飾。
現藏浙江省文物考古研究所。

項飾

良渚文化
浙江杭州市餘杭區反山出土。
玉管長2.7–3、直徑1–1.1厘米，
玉璜寬6.3、高4.2厘米。
由十二節玉管和一塊玉璜穿綴而成，
璜正面雕琢一神人獸面像。
現藏浙江省文物考古研究所。

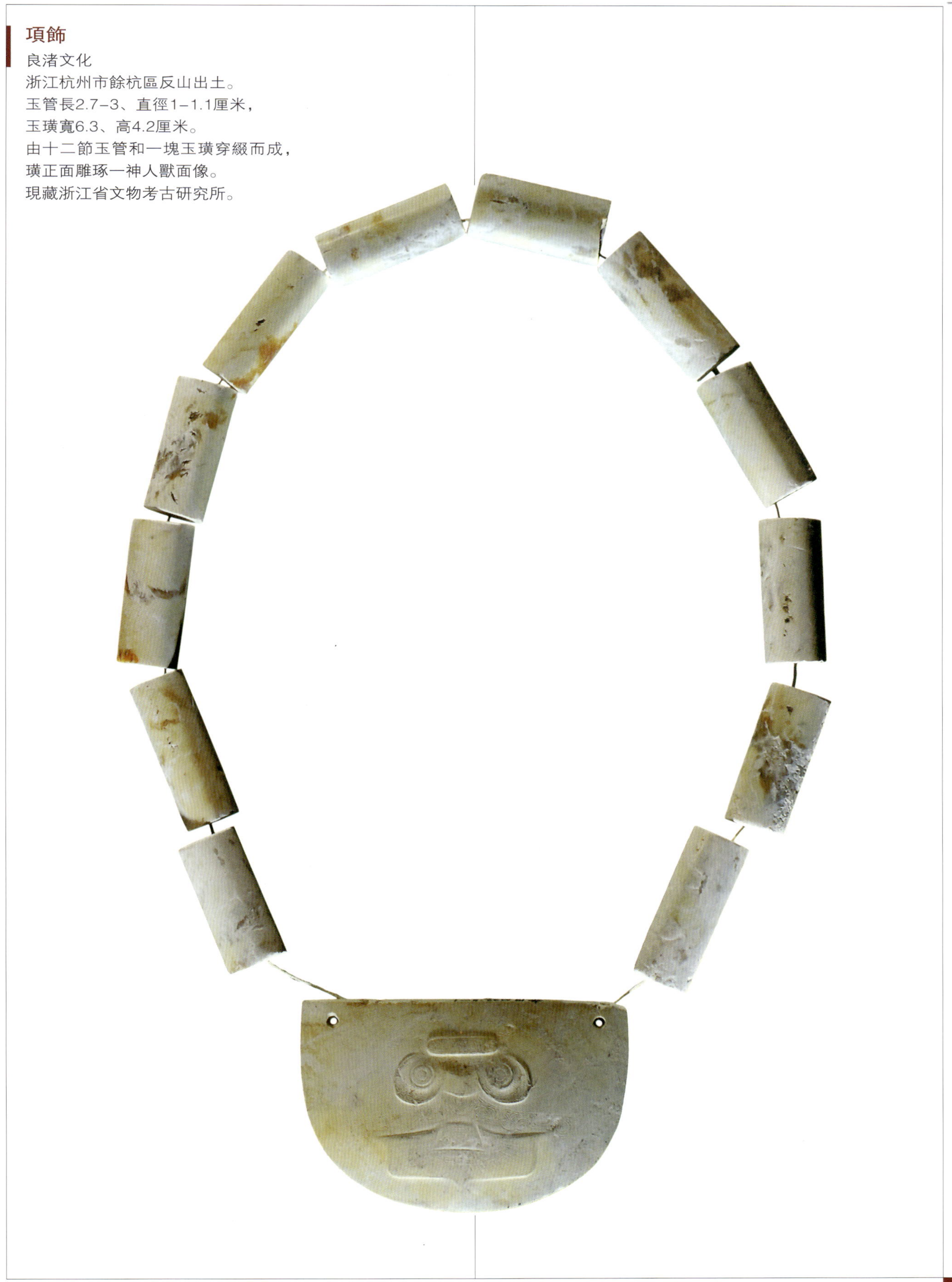

鐲

良渚文化
浙江杭州市餘杭區瑤山出土。
直徑6.6厘米。
上有紅褐色瑕斑。鐲身寬扁，外壁略鼓。
現藏浙江省文物考古研究所。

鐲

良渚文化
浙江杭州市餘杭區瑤山出土。
直徑6.5厘米。
寬帶環形，環面刻斜向凸棱紋。
現藏浙江省文物考古研究所。

龍首紋鐲

良渚文化
浙江杭州市餘杭區瑤山出土。
直徑8.2厘米。
外緣對稱雕四個龍首紋。
現藏浙江省文物考古研究所。

冠狀梳背

良渚文化
浙江杭州市餘杭區反山出土。
高6、上寬9.15、下寬7.5厘米。
上端爲冠頂狀，下端有四個小孔。正面中部雕神人獸面紋。背面無紋飾。
現藏浙江省文物考古研究所。

冠狀梳背

良渚文化

浙江杭州市餘杭區反山出土。

高5.2、寬10.4厘米。

正反兩面紋飾相同。采用透雕與陰刻手法相結合琢出神人獸面組合圖案。

現藏浙江省文物考古研究所。

冠狀梳背

良渚文化

浙江杭州市餘杭區反山出土。

高3.9、上寬6.8、下寬6.2厘米。

有茶褐色塊斑。上端爲冠頂狀，下端有三個小孔。

正、背面紋飾相同，爲肢體俱全的神人形象。

現藏浙江省文物考古研究所。

冠狀梳背

良渚文化
浙江杭州市餘杭區瑶山出土。
高5.8、上寬7.7厘米。
上端中間有一凸起，下端有三小孔。正面雕神人獸面紋和鳥紋，背面無紋飾。
現藏浙江省文物考古研究所。

冠狀梳背

良渚文化
江蘇南京市江寧區昝廟出土。
高4.2、上寬7.2、下寬6.4厘米。
上端爲冠狀；下端爲三段扁榫，各有一小孔。
正、背兩面正中各淺雕獸面紋。
現藏江蘇省南京市博物館。

龍首紋飾

良渚文化
浙江杭州市餘杭區瑶山出土。
直徑4.2厘米。
造型如璧，在邊緣上等距離刻
三個龍首形象。
現藏浙江省文物考古研究所。

柄形器

良渚文化
浙江杭州市餘杭區瑤山出土。
長10.4厘米。
器型中部凸起，上雕一獸面，眼鼻口等部位陰刻回紋。
兩端各有小凹孔，底部中間有小鉚眼。
現藏浙江省文物考古研究所。

錐形器

良渚文化
浙江杭州市餘杭區瑤山出土。
長6.9厘米。
器體呈方錐形，尾端有一穿孔。紋飾分上、下兩節，共同組成神人獸面紋。
現藏浙江省文物考古研究所。

錐形器

良渚文化
浙江杭州市餘杭區瑤山出土。
長12.2厘米。
長條方柱形。下部爲六節三組，每兩節組成一個相同的神人獸面。
現藏浙江省文物考古研究所。

錐形器

良渚文化
江蘇新沂市花廳村出土。
長40.3厘米。
方琮形錐體狀，下部飾八節三十二組神人獸面紋。
現藏南京博物院。

鈎形器

良渚文化
浙江杭州市餘杭區瑤山出土。
長5、寬2.7、高2.2厘米。
器略呈橋形，上弧下平。
現藏浙江省文物考古研究所。

神人鳥形飾

良渚文化
江蘇昆山市趙陵山遺址77號墓出土。
高5.5厘米。
人物頭帶高冠，上飾一鳥，手托一鼠形獸，下肢曲蹲，有一孔。
現藏南京博物院。

人形飾

良渚文化
江蘇高淳縣朝墩頭遺址12號墓出土。
高4.6厘米。
戴冠站立男性人像，衣冠清楚，五官齊全。頭大、體小、脚短，臉部形象誇張。
現藏南京博物院。

魚形飾

良渚文化
浙江杭州市餘杭區反山出土。
長4.8厘米。
圓雕魚形，造型逼真，橫截面呈橢圓形。頭腮浮雕突起，刻劃眼睛，魚尾分叉，并刻有斜向細綫。腹下對鑽有兩個繫挂小孔。
現藏浙江省文物考古研究所。

人面紋琮

石峽文化

廣東韶關市馬壩石峽遺址出土。

高13.8、射徑7.2、上孔徑5、下孔徑4.7厘米。

長方柱體，内圓外方，上大下小，四面平直，四角近直。分五節，每節之間出明顯的凹槽。每一節以方角爲中軸刻出一組簡化人面紋。

現藏廣東省博物館。

神人紋琮

石峽文化

廣東韶關市馬壩石峽遺址出土。

高3.7、射徑7.3、孔徑5.5厘米。

内圓外方，方體外緣弧形。四個轉角各有一組神人紋。

現藏廣東省博物館。

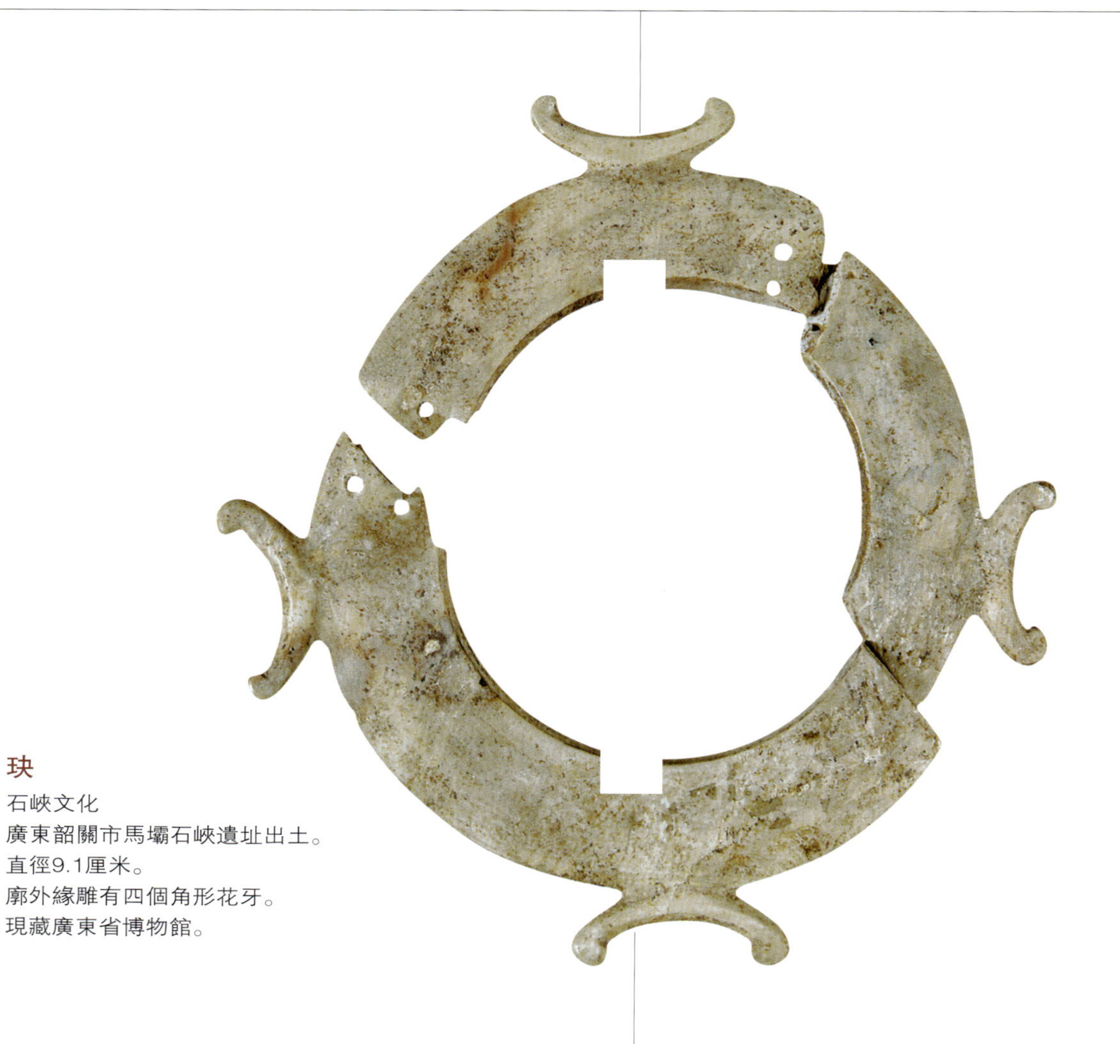

玦

石峽文化
廣東韶關市馬壩石峽遺址出土。
直徑9.1厘米。
廓外緣雕有四個角形花牙。
現藏廣東省博物館。

獸面紋璋

龍山文化
山東日照市兩城鄉出土。
長17.8、寬5厘米。
此器斷爲兩截，因此沁色不同。器柄端兩面以連續陰刻的旋轉曲綫繞目紋展開，構成猙獰的獸面紋。
現藏山東省博物館。

璋

龍山文化

山東五蓮縣石場鄉上萬家溝村遺址出土。

長33.5、寬4.5厘米。

上端有一對鑽圓孔，兩邊出闌齒，爲肩突式，一邊高，一邊矮，矮出闌齒稍大。刃部鋒利，爲雙尖内弧刃。兩側邊緣較厚，中部較薄。

現藏山東省五蓮縣博物館。

璋

龍山文化

山東海陽市司馬臺遺址出土。

長27.5、寬7.2厘米。

扁平長身。一端爲方形短柄，柄部正中有一穿孔，短柄與器體結合處兩側各有一突出的闌齒。刃部較寬，一側較尖鋭，一側略低平，刃綫呈内弧彎月形。

現藏山東省海陽市博物館。

琮

龍山文化
山東五蓮縣丹土村出土。
高3.5、邊寬7.3、孔徑6.6厘米。
内作圓筒狀，外爲方形。四個邊近角部飾三條直綫和兩個圓圈。
現藏山東省五蓮縣博物館。

斧

龍山文化
山東日照市兩城鎮出土。
長17.2、寬9.7厘米。
通體磨光。近頂部有一穿孔。
現藏山東省博物館。

鉞

龍山文化
山東日照市兩城鎮大孤堆2號墓出土。
長11.3、寬8.5厘米。
雙孔，形制簡潔，製作精美。
現藏臺灣“中央研究院歷史語言研究所”。

四孔刀

龍山文化
山東臨朐縣西朱封遺址出土。
長23.5、寬10.6厘米。
長方形，有四個圓穿孔。
現藏中國社會科學院考古研究所。

有齒三牙璇璣

龍山文化
山東滕州市里莊出土。
直徑8厘米。
外緣爲三個形狀相同，并向同方向旋轉的有齒牙。
現藏山東省滕州市博物館。

竹節形簪

龍山文化
山東臨朐縣西朱封遺址出土。
長23厘米。
由簪首和簪身兩部分組成。簪首鏤孔透雕，兩面鑲嵌綠松石。簪身有竹節狀弦紋。
現藏中國社會科學院考古研究所。

人面紋簪

龍山文化

山東臨朐縣西朱封遺址出土。

長10.3厘米。

截面呈圓角方形，兩側共有三個浮雕人面像。

現藏中國社會科學院考古研究所。

璋

龍山文化

陝西神木縣石峁遺址出土。

殘長34.5、首端殘寬7.8厘米。

扁體長條，首部殘斷。長柄末端略外弧，一角殘失，兩側雕出齒棱，形似鷄冠，與之臨界處陰刻三組橫向綫紋，三組橫綫之間再陰刻雙綫斜紋。

現藏陝西歷史博物館。

獸面紋琮

龍山文化
陝西延安市碾莊鄉蘆山峁村出土。
高4.4厘米。
有黄褐色斑。外方内圓，四角共雕八個獸面紋。
現藏陝西省延安市文物研究所。

鉞

龍山文化
陝西延安市碾莊鄉蘆山峁村采集。
長10.1、上端寬4.4、下端寬5厘米。
下端刃部兩面磨製，近頂部有一穿孔。
現藏陝西省延安市文物研究所。

鏟（右圖）

龍山文化
陝西神木縣新華遺址出土。
長17、寬8.1厘米。
扁平體長方形，其中短邊一角斜，一角殘。一條長邊上有弧形缺口。柄端有一單面鑽之圓孔，內有馬蹄狀孔痕。通體拋磨光亮。
現藏陝西省考古研究院。

刀

龍山文化
陝西延安市碾莊鄉蘆山峁村出土。
長54.6、寬10厘米。
長條形，背短刃長，背邊緣鑽有三個大半圓形孔。中部靠上等距離鑽三個圓孔，一端居中鑽有一小孔。刃部兩面磨製而成，中部略內凹。兩端微斜，均琢出齒棱，右端齒棱內側更是以剪影手法，琢出東夷族戴帽女子的側面形象。通體打磨光滑。
現藏陝西省延安市文物研究所。

璇璣

龍山文化
陝西延安市碾莊鄉蘆山峁村出土。
直徑10.3厘米。
圓環形，在外緣雕出四個對稱的缺口。
現藏陝西省延安市文物研究所。

人頭像

龍山文化
陝西神木縣新華遺址出土。
高4.5、寬4.1厘米。
扁平體，以剪影手法琢出頭上有橢圓形髮髻的人首側面形象。團臉鼓腮，鷹鈎鼻，口半張，陰綫刻出橄欖形目紋，腦後有外凹的弧形耳朵，面頰上鑽有一大圓洞，頭下雕出一短細頸。兩面形象相同。
現藏陝西省考古研究院。

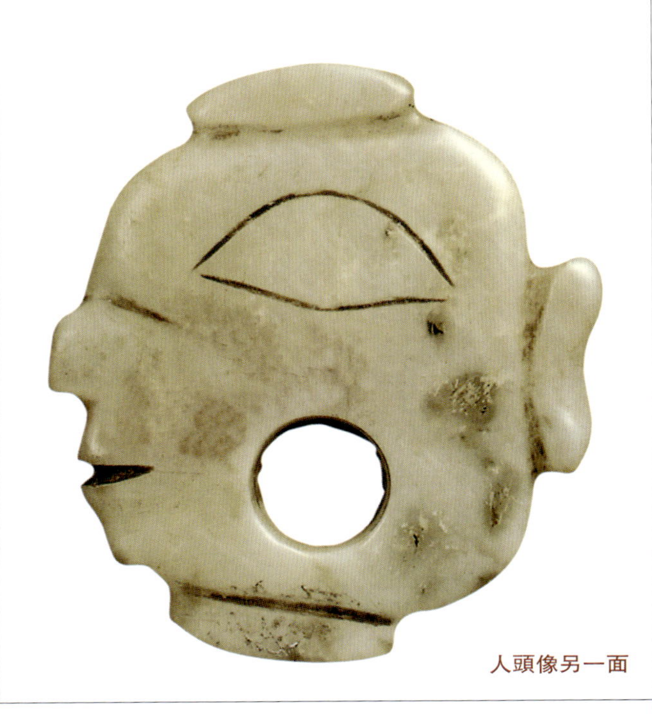

人頭像另一面

鳳首笄

龍山文化

陝西延安市碾莊鄉蘆山峁村出土。

長14.4厘米。

長圓柱體，下端爲尖錐形，上端鏤雕一魚尾形透孔，外輪廓似爲變形鳳鳥紋。

現藏陝西省延安市文物研究所。

鷹形笄

龍山文化

陝西神木縣石峁遺址出土。

長6.5厘米。

長條狀，立鷹形，從上至下劈開，僅存左半面。喙部彎曲成鈎狀，眼睛呈外凸橢圓形，頭後部雕出較短的捲冠，冠毛下和翅膀之間有刻紋，足部陰刻出利爪。

現藏陝西歷史博物館。

鷹攫人首紋佩

龍山文化
高10.2、寬4.9厘米。
兩面紋飾相同。上部爲一隻頭頂羽冠的小鷹，踏于下部大鷹的背上，大鷹口啄一獸，足攫一人首。
現藏上海博物館。

鷹紋圭

陶寺文化

山西侯馬市煤灰製品廠東周祭祀遺址出土。

高21、寬4厘米。

整體爲圭形，上寬下窄，下部有一個圓孔。正面的圓孔上爲兩組弦紋與寬凹槽相間的紋飾，紋飾以上陰刻一隻昂首展翅的鷹。

現藏山西省考古研究所。

鉞

陶寺文化

山西襄汾縣陶寺遺址出土。

長16.8厘米。

長方形，弧刃。器身共有四孔，主孔之外另有三個散孔。出土時，三個散孔均嵌補特意加工的玉片。

現藏中國社會科學院考古研究所。

琮

陶寺文化
山西襄汾縣陶寺遺址出土。
高3.2、孔徑6.3厘米。
單節，外方內圓，四面微顯弧形外凸，矮射，四面中部有竪向帶狀淺槽，其兩側有對應的横向綫狀槽三道。
現藏中國社會科學院考古研究所。

獸面形飾

陶寺文化
山西襄汾縣陶寺遺址出土。
高3.4、長6.4厘米。
正面微凸，背面平。邊框、眼眶、眉綫有綫條裝飾，比較模糊。下端有一小圓穿。
現藏中國社會科學院考古研究所。

環

陶寺文化
山西襄汾縣陶寺遺址出土。
直徑13.2厘米。
扁平圓形，環面光素無紋飾。
現藏中國社會科學院考古研究所。

璋（右圖）

石家河文化
湖北荆州市沙市區汪家屋場出土。
長35.6、寬8.2厘米。
柄端近平，獨角形闌，“V”形刃，柄部以單面鑽法鑽一圓孔。自柄至刃逐漸變薄，横截面呈凹透鏡狀。
現藏湖北省荆州博物館。

人面形牌飾

石家河文化
湖北天門市石河鎮肖家屋脊遺址出土。
高2.8、冠寬2.2厘米。
頭戴淺冠，大耳戴環。
現藏湖北省荊州博物館。

人面形牌飾

石家河文化
湖北天門市石河鎮肖家屋脊遺址出土。
高3.7、寬3.6厘米。
人像頭戴淺冠，梭形眼，寬鼻梁，鼻尖外突，嘴兩側各有一對獠牙，戴耳環，頸部有一道細凹槽，自頭部至頸底有一縱向隧孔。背面光素，微內凹，呈弧形。
現藏湖北省荊州博物館。

人面形牌飾

石家河文化
湖北荆州市馬山鎮棗林崗出土。
高3.2、寬2.2厘米。
人像頭戴半月形冠，棱形眼，寬鼻，耳戴環，長頸。
現藏湖北省荆州博物館。

人面形牌飾

石家河文化
湖北天門市石河鎮肖家屋脊遺址出土。
高3.9、直徑2.2厘米。
柱狀，戴箍形冠，箍在腦後起結。
現藏湖北省荆州博物館。

神人獸面形牌飾（右圖）

石家河文化
陝西西安市長安區張家坡17號墓出土。
高5、寬4厘米。
扁平狀。背面光素無紋，正面爲神人獸面形象。頭戴平頂冠，面頰兩側雕出對稱向後捲曲的翼狀凸飾，雙耳下有耳環狀物。
現藏中國社會科學院考古研究所。

人頭形飾

石家河文化
湖北天門市石河鎮肖家屋脊遺址出土。
長5.7厘米。
人物頭戴尖冠，冠上有披，垂至後頸。短鼻，大眼，戴耳環，下頜和嘴角飾捲雲紋。
現藏湖北省荊州博物館。

人頭形飾另一面

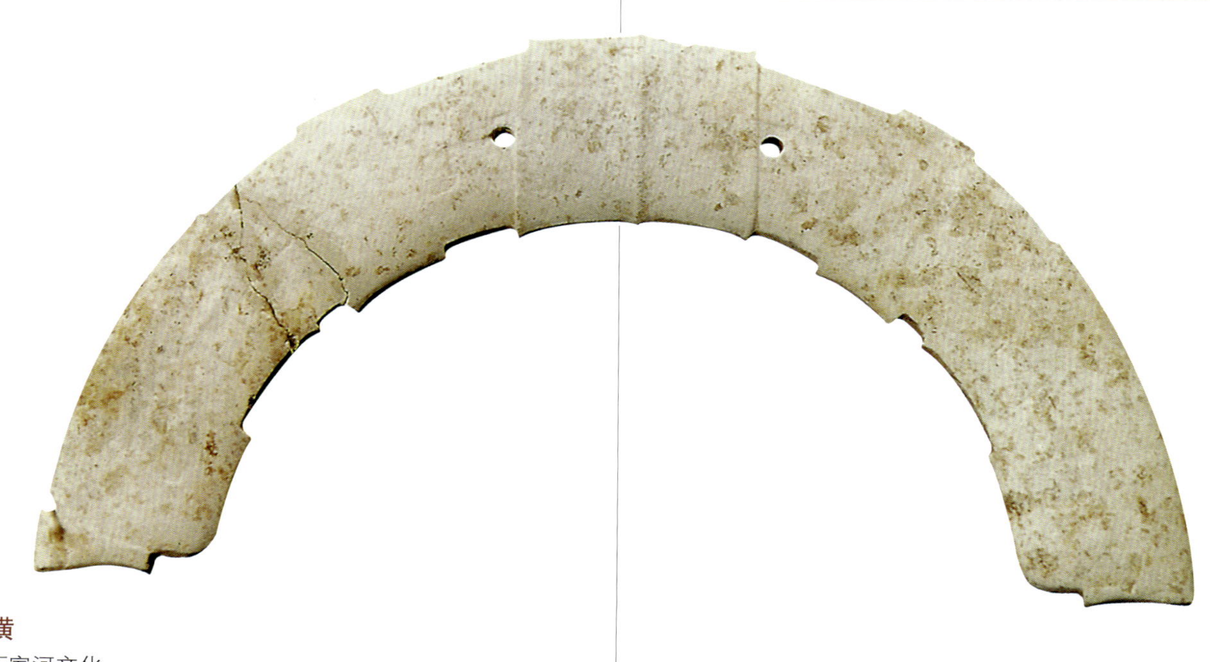

璜

石家河文化
湖南澧縣孫家崗遺址14號墓出土。
長12.7厘米。
扁體，截面近梭形。內外弧沿爲凹凸狀，中部二凸帶箍飾，凸飾兩側各穿有一小孔。
現藏湖南省文物考古研究所。

龍形佩

石家河文化
湖南澧縣孫家崗遺址14號墓出土。
長9.1、寬5.1厘米。
整體采用鏤空透雕技法琢成。龍體盤曲，頭項及後部爲高聳的角狀裝飾。
現藏湖南省文物考古研究所。

鳳形佩

石家河文化
湖南澧縣孫家崗遺址14號墓出土。
長12.6、寬6.2厘米。
整體采用鏤空透雕技法琢成。鳳鳥頭頂羽狀冠飾，曲頸長喙，展翅捲尾。
現藏湖南省文物考古研究所。

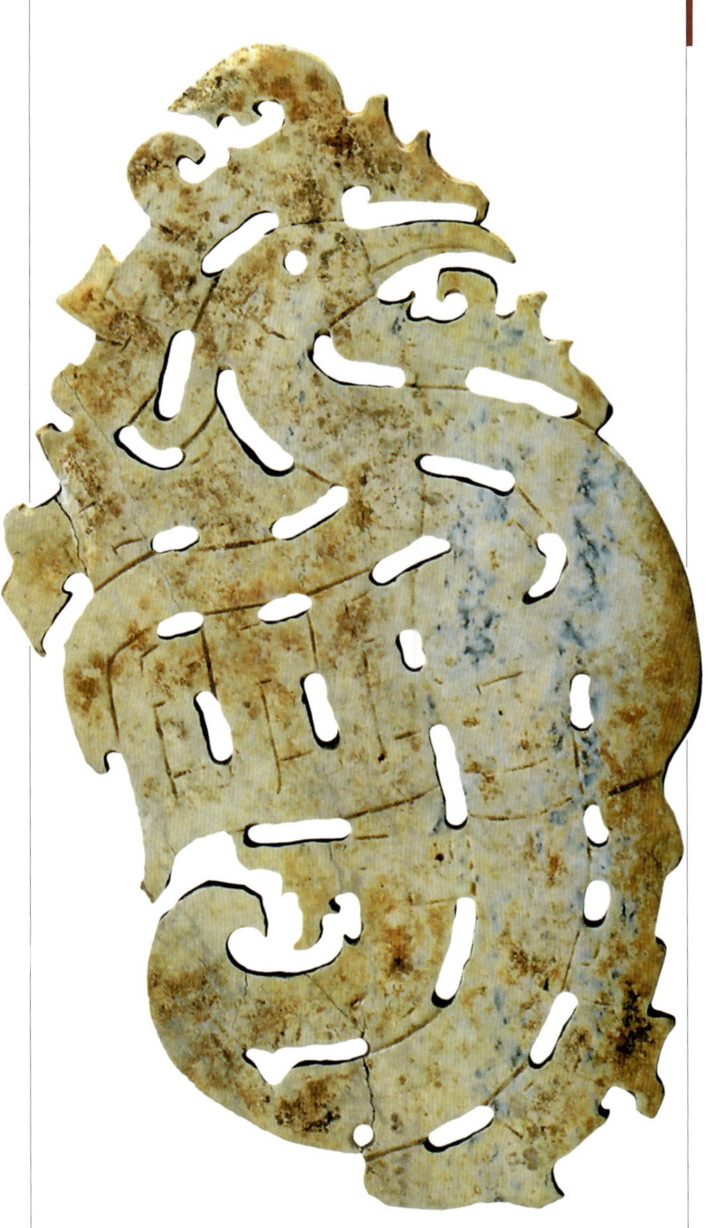

人獸合體佩

石家河文化
高8.2、寬4厘米。
此器體扁平，兩面紋飾相同。人首面部寫實，身體鏤雕獸面紋。
現藏故宮博物院。

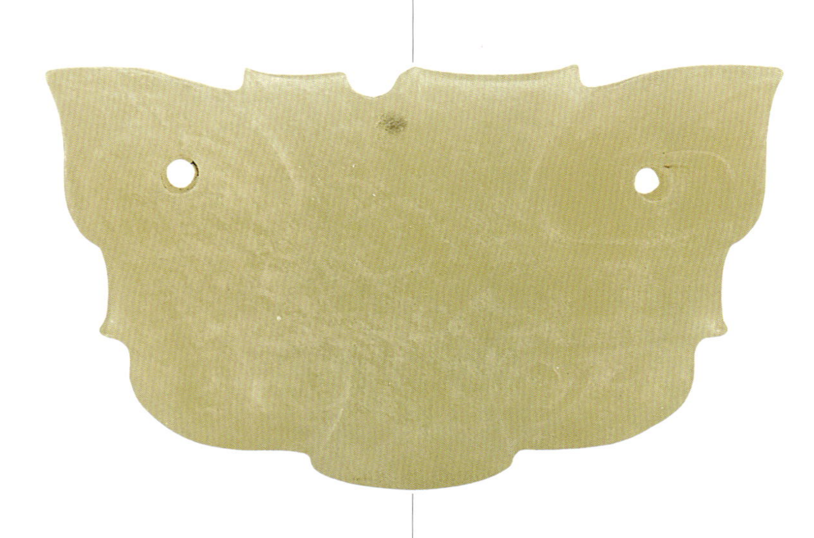

虎面形飾

石家河文化
湖北天門市石河鎮肖家屋脊遺址出土。
高2.1、寬3.6厘米。
虎額頂有三個尖狀凸起，近中偏右邊緣有一個半圓形豁口。耳廓近似樹葉形，耳內有旋狀雲紋，穿小圓孔。鼻寬大，鼻梁與眉綫相連。圓眼，顴較鼓。
現藏湖北省荆州博物館。

鷹形飾

石家河文化
湖北天門市石河鎮肖家屋脊遺址出土。
高1.9、寬4.2厘米。
鷹作飛翔狀。
現藏湖北省荆州博物館。

鳳形飾

石家河文化
湖北天門市石家河出土。
直徑4.7厘米。
鳳作團身環形，圓眼、鈎喙，冠向後捲，略展翅，尾分兩歧。以陽綫刻劃眼、冠及羽翅。尾部有一穿孔，可供繫佩。
現藏中國國家博物館。

蟬形飾（右圖）

石家河文化
湖北天門市石河鎮肖家屋脊遺址出土。
長2.6、寬2厘米。
長方形，片狀，正面略凸弧，背面平。
現藏湖北省荆州博物館。

簪

石家河文化

湖南澧縣孫家崗遺址出土。

長15.7厘米。

器作長竹釘狀，截面呈方形，棱角峻直，頂部平，前部磨製攢尖。

現藏湖南省文物考古研究所。

弦紋琮

齊家文化

甘肅静寧縣治平鄉後柳溝村出土。

高16.2、射徑7.8厘米。

體呈長方形，兩端作環形口，中心有一兩端對穿的圓孔。器表飾三組弦紋。器體打磨精緻。

現藏甘肅省静寧縣博物館。

蠶節紋琮

齊家文化
甘肅静寧縣治平鄉後柳溝村徵集。
高14.7、射徑8.2厘米。
器作委角長方體，中心有一上下對穿的圓孔。器兩端呈圓口形，器外有十三道淺凹槽。
現藏甘肅省静寧縣博物館。

璧

齊家文化

甘肅静寧縣齊家文化遺址出土。

直徑32.1厘米。

圓形，璧面無紋飾。

現藏甘肅省静寧縣博物館。

璧

齊家文化

甘肅静寧縣齊家文化遺址出土。

直徑27.8厘米。

圓形，璧面無紋飾。

現藏甘肅省静寧縣博物館。

璧

齊家文化
甘肅静寧縣治平鄉後柳溝村徵集。
直徑32.1厘米。
圓形，璧面無紋飾。
現藏甘肅省静寧縣博物館。

單人獸形飾（右圖）

卑南文化
臺灣臺東縣卑南遺址出土。
長5.7、寬1.8厘米。
作單人叉腰狀，頭部爲獸形。
現藏臺灣省史前文化博物館。

雙人獸形飾

卑南文化

臺灣臺東縣卑南遺址出土。

高6.7、寬4厘米。

作雙人叉腰直立狀，雙人頭上頂一獸。雙人脚下有横杠，横杠下有榫頭，可用于嵌插。

現藏臺灣省史前文化博物館。

多環獸形飾

卑南文化

臺灣臺東縣卑南遺址出土。

長6.8、寬2.8厘米。

通體磨光，圈狀雕刻很規範。

現藏臺灣省史前文化博物館。

璋

夏

河南偃師市二里頭遺址出土。

長54、寬14.4厘米。

兩側外侈，近刃部長邊上穿一孔，嵌以白色圓片。

柄部有一圓穿，兩側有扉牙。

現藏中國社會科學院考古研究所。

璋

夏

河南偃師市二里頭遺址出土。

長48.5、寬8厘米。

凹弧斜刃，方柄，中有一圓穿，兩側有對稱扉牙。

現藏河南博物院。

璋

夏

河南偃師市二里頭遺址出土。

長49.6、寬9厘米。

凹弧刃，方首，首部有一個小圓穿，兩側有對稱的扉牙。

現藏中國社會科學院考古研究所。

斧

夏

河南偃師市二里頭遺址出土。

長17.4、寬4.4厘米。

通體磨光，首部有兩個圓穿，圓穿間的兩組雙凸綫内飾幾何紋。

現藏中國社會科學院考古研究所。

戈

夏

河南偃師市二里頭遺址出土。
長30.2、援寬6.6–6.9厘米。
援分兩段，雙面刃，上下刃中部均有凹棱。直內，內中有穿。
現藏中國社會科學院考古研究所。

戚

夏

河南偃師市二里頭遺址出土。
高23、寬21厘米。
刃分四段，雙面磨刃。器兩側各有兩組扉牙，每組三齒。
現藏中國社會科學院考古研究所。

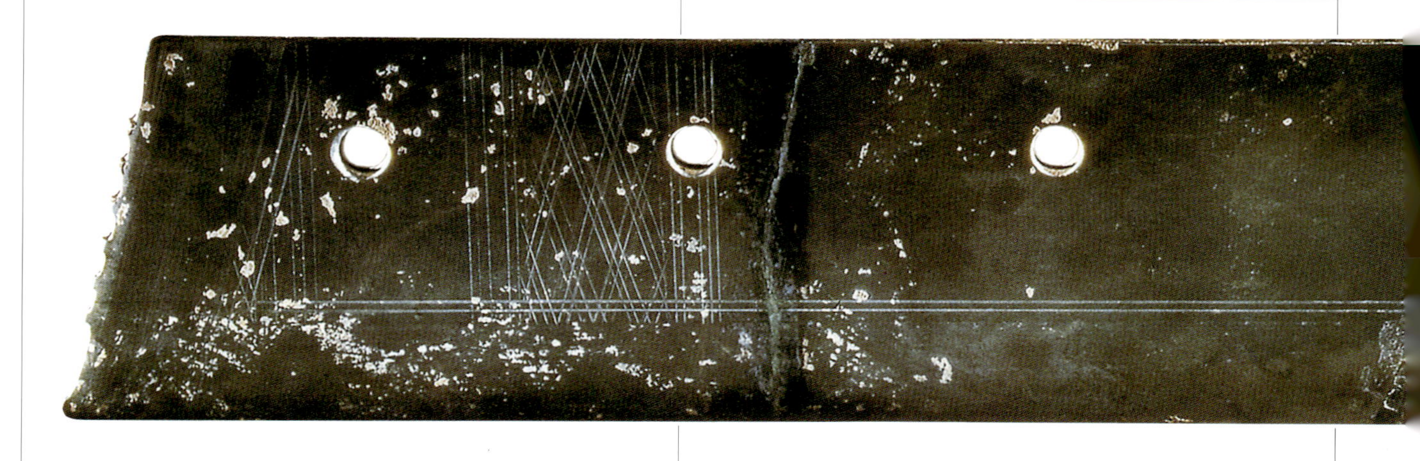

七孔刀

夏

河南偃師市二里頭遺址出土。

長65、寬9.5厘米。

平背，兩面刃。刀兩端各有對稱的齒牙六個，近兩端處琢竪直陰綫紋和菱形紋，其下有兩條平行陰綫。近刀背處有平行、等距的七個圓孔。

現藏河南省洛陽博物館。

戚

夏

河南偃師市二里頭遺址出土。

寬9.6厘米。

刃呈連弧形，分四段，雙面磨刃。器兩側各有兩組扉牙，每組三齒。器中部爲一大圓孔。

現藏中國社會科學院考古研究所。

鉞

夏

河南偃師市二里頭遺址出土。

長14.3、寬14.5厘米。

刃部呈連弧形狀，中間爲一圓穿，

兩側有對稱的三對齒牙。

現藏中國社會科學院考古研究所。

綠松石鑲嵌獸面紋牌飾

夏

河南偃師市二里頭遺址出土。

高16.2厘米。

底爲青銅，上嵌以綠松石，組成獸面紋。

現藏中國社會科學院考古研究所。

鏟

夏

河南偃師市二里頭遺址出土。

長21.1、寬6.4厘米。

長方梯形，一端有兩個對稱的圓穿，兩個圓穿之間有一周不太明顯的凹槽，腰部有凸弦紋兩周。

現藏中國社會科學院考古研究所。

柄形器

夏

河南偃師市二里頭遺址出土。

長17.1、柄部寬1.8厘米。

形似鞭，共分六節。

現藏中國社會科學院考古研究所。

曲面牌飾

夏家店下層文化
內蒙古敖漢旗大甸子墓地659號墓出土。
長7.1厘米。
器呈曲面四邊形，四角各有一個圓孔，
正面飾六道瓦溝紋。
現藏中國社會科學院考古研究所。

蟠螭紋鐲

夏家店下層文化
內蒙古敖漢旗大甸子墓地458號墓出土。
直徑4.8–6厘米。
器呈橢圓形。外側雕一首雙身之蟠螭紋。
現藏中國社會科學院考古研究所。

簪

夏家店下層文化
內蒙古敖漢旗大甸子墓地371號墓出土。
長15厘米。
器體分上、下兩段。上段較短，呈凹腰狀，頂部呈圓弧狀外凸，靠近頂端有一鑽孔。下段較長，略粗，中部有兩個鑽孔，尾端呈圓尖狀。
現藏中國社會科學院考古研究所。

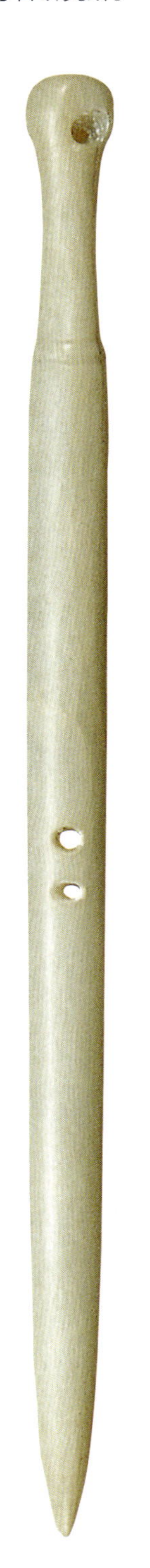

簪

夏家店下層文化
內蒙古敖漢旗大甸子墓地371號墓出土。
長8.6厘米。
頂端光平，自端面中心至側面通穿一孔，周圍刻有細綫紋。尾端稍細，呈圓尖狀。
現藏中國社會科學院考古研究所。

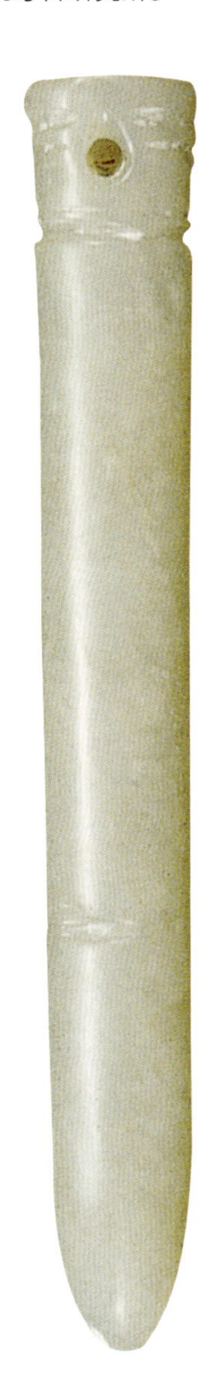

璋

商

河南鄭州市楊莊村出土。

長66、寬13厘米。

體大，塗有硃砂。前端凹弧刃，兩闌出扉牙，內有一穿孔。

現藏河南博物院。

璋

商

河南新鄭市新村鎮出土。

長39.2、寬10.2厘米。

體呈刀形，前端刃呈內凹弧形，兩面磨刃，後部兩闌均出扉牙，中間飾弦紋數道，內有一單面穿。兩面紋飾相同。

現藏河南博物院。

璋

商

四川廣漢市三星堆遺址1號祭祀坑出土。

長25.2、射寬7.2厘米。

射寬大、邸窄長。射前端叉形刃向兩側寬出。射中部兩側有齒飾。

現藏四川省三星堆博物館。

璋

商

四川廣漢市三星堆遺址2號祭祀坑出土。

長28.2、射寬6.2厘米。

器呈長條形，前端成叉形刃。射部兩側上、下組均有向內勾捲的雲雷紋齒飾，中間爲三齒。在兩側齒飾之間有一圓孔。

現藏四川省三星堆博物館。

璋

商

四川廣漢市三星堆遺址2號祭祀坑出土。

長46.3、射寬7.6厘米。

射端叉形刃，射本部一面略凸，兩側平直有八齒飾，在兩側齒飾之間有一圓穿。

現藏四川省三星堆博物館。

璋

商

四川廣漢市三星堆遺址1號祭祀坑出土。

長38.2、射寬8.2厘米。

射兩側有刃，頂端鏤刻一立鳥。

射本部兩側均有齒飾。

現藏四川省三星堆博物館。

琮

商
山東滕州市前掌大商墓出土。
高5.2、寬6.2、孔徑5.8厘米。
外方內圓，四角有凸棱。
現藏中國社會科學院考古研究所。

獸面紋琮

商
江西新干縣大洋洲鄉程家村出土。
高4.1、射徑7.7厘米。
上下兩節，四角有凸棱，并以四角凸棱爲中綫，
上下各飾由捲雲紋構成的簡體獸面紋。
現藏江西省博物館。

蟬紋琮

商

江西新干縣大洋洲鄉程家村出土。

高7、口徑6.3厘米。

外方内圓，器體四角上下各飾一個蟬紋。

現藏江西省博物館。

琮

商

四川成都市金沙遺址出土。

高16.6、寬11厘米。

器呈方柱體，外方内圓，中空，分四節。

每節刻劃九道平行直綫紋，三道爲一組。

現藏四川省成都市文物考古研究所。

璧

商
江西新干縣大洋洲鄉程家村出土。
直徑16.8厘米。
中心有對鑽大圓孔，孔周兩面均飾八組
同心圓綫，每組由三條細綫構成。
現藏江西省博物館。

戚形璧

商
四川廣漢市三星堆遺址1號祭祀坑出土。
長20.5、寬9.3厘米。
器似舌形，中間有孔，孔緣兩面凸起。
現藏四川省三星堆博物館。

龍冠鴞紋璜

商

河南鹿邑縣長子口墓出土。

長11.8厘米。

片雕。主體爲鴞的形象，高冠，鷹嘴，身用陰綫勾畫出雲紋。長尾，雙脚緊貼尾部。鳥冠爲一條大角龍。

現藏河南省文物考古研究所。

鳥紋璜

商

山東滕州市前掌大120號墓出土。

長9.2、寬2.1厘米。

雙面雕。鳥呈立姿，冠部刻齒棱，圓眼，尖喙，身飾羽紋。

現藏中國社會科學院考古研究所。

龍紋璜

商
浙江安吉縣遞鋪鎮三官村出土。
長8.4、寬1.5厘米。
一端爲龍頭，一端已殘。
現藏浙江省安吉縣博物館。

戈

商
河南安陽市殷墟婦好墓出土。
長27.8厘米。
上、下兩邊出刃，中部起脊，近末端處有穿。銅内有上、下闌，飾饕餮紋，鑲嵌綠松石，後端作歧冠鳥形。
現藏中國國家博物館。

戈

商

河南安陽市小屯11號墓出土。

長31厘米。

援窄長，有中脊和邊刃，援後部雕出上下闌。援兩面後部及闌上飾雲紋和目紋。長方形内，前部有穿，後部飾四組平等陽綫。

現藏中國社會科學院考古研究所。

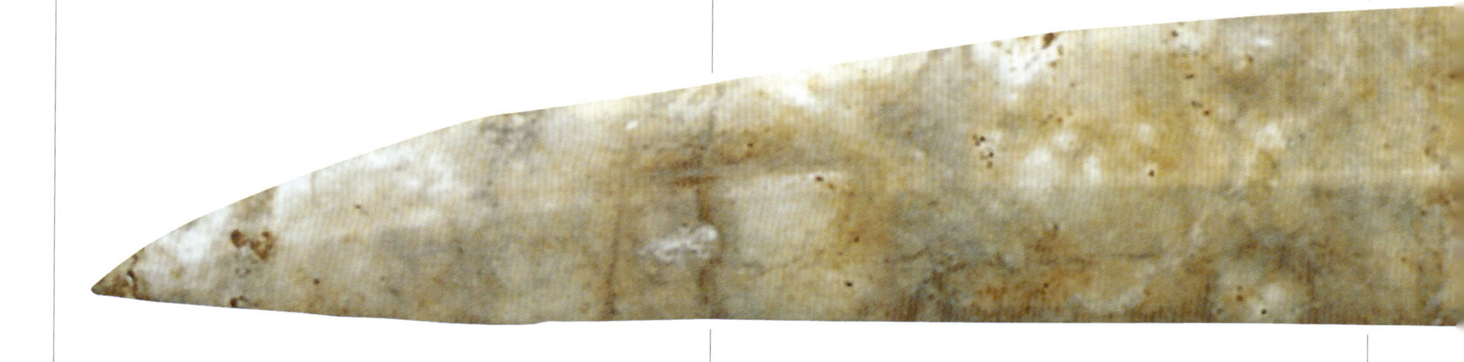

戈

商

湖北武漢市黄陂區盤龍城李家嘴村出土。
長94、寬13.5厘米。
此器爲已知出土玉戈中最長者。
現藏湖北省博物館。

戈

商

山東滕州市前掌大120號墓出土。

長7.7、寬1.7厘米。

長援，長內，中脊明顯，上下磨出鋒刃。

闌表面飾兩組大小相套的菱形紋。

現藏中國社會科學院考古研究所。

戈

商

山東滕州市前掌大4號墓出土。

長5.4、寬1.5厘米。

尖鋒微下垂，無中脊，上下磨出鋒刃，刃部有脊棱，援後部對鑽一穿孔，尾端呈扉牙狀，居中扉牙處穿有一小孔。

現藏中國社會科學院考古研究所。

戈

商

陝西西安市灞橋區老牛坡商代遺址出土。

長31、寬8.1厘米。

玉戈援闊而微曲，中有脊，前鋒呈三角形，兩側帶刃，一側曲，另一側較直。内作長方形，有穿孔，後緣飾四扉牙棱。

現藏陝西省西安市文物保護考古所。

獸面紋戈

商

甘肅西峰市董志塬野林村徵集。

長38.9、寬8.5厘米。

刃作雙重，有上下闌。長方形内，兩面刻獸面紋。在援後部中間陰刻有“乍册吾”三字。

現藏甘肅省慶陽市博物館。

戈

商

四川廣漢市三星堆遺址2號祭祀坑出土。

長29、寬6.6厘米。

器身較薄，援長，微曲。援本部兩側各刻有淺齒，在淺齒對應處兩面刻出平行短綫，中脊處有一圓穿孔。

現藏四川省三星堆博物館。

銅骹矛（右圖）

商

河南安陽市大司空村25號墓出土。

長21、銅骹長12厘米。

矛玉質，三角形，有中脊。銅骹（柄）呈蛇形，張口，矛頭後部嵌入蛇口中。

現藏中國社會科學院考古研究所。

戚

商

河南安陽市花園莊54號墓出土。

長19.9、刃寬19.2厘米。

柄部前端有兩條“雙陰擠陽”綫紋，柄兩端分別有一小圓孔。柄部色澤較深。器體中部有一個十分規整的圓孔，管鑽而成。

現藏中國社會科學院考古研究所。

鉞

商

河南安陽市小屯村出土。

長13.8、寬5.25-6.1厘米。

一面平整，一面微凸。柄中部對鑽一孔。其下爲兩組數道陰綫紋夾斜“十”字交叉紋。

現藏中國社會科學院考古研究所。

鉞

商

山東滕州市前掌大120號墓出土。

高7.1、寬4厘米。

陰綫雙面雕。器分爲鉞身和柄兩部分。鉞身較寬，中間對鑽一穿孔。柄前端飾一立虎，柄末端斜出，上有兩個穿孔。鉞身與柄之間及柄下部均飾折綫表示以繩綁縛。

現藏中國社會科學院考古研究所。

刀
商
河南鹿邑縣長子口墓出土。
長12.2、寬2.9厘米。
刀背有“⊥”形陰刻綫。柄部有硃砂痕迹。
現藏河南省文物考古研究所。

刀
商
河南安陽市殷墟婦好墓出土。
長13.2厘米。
凹背曲刃，刃尖上翹。背較厚。背部雕出鋸齒狀扉棱。刀身飾以“S”形紋爲主體紋飾。仿自同時期的青銅脊棱刀。
現藏中國社會科學院考古研究所。

刀

商
河南安陽市花園莊54號墓出土。
長25.2、寬3.9厘米。
凹背曲刃，翹首長柄，仿同時期銅刀。刀刃兩面磨製，較鋒利，無使用痕迹。背部鏤孔，刻八組方形扉棱。刀身兩面各雕刻六個鸚鵡狀小鳥紋。刀柄尾部有一穿孔。現藏中國社會科學院考古研究所。

螳螂刀（右圖）

商
長8.4、寬1.2厘米。
螳螂造型，頭頸爲柄，腹尾爲鋒刃。
現藏故宫博物院。

斧（右圖）

商
陝西西安市藍田縣寺坡村出土。
長10、寬5.1、孔徑0.6–0.8厘米。
蛇紋石質。背窄刃寬，弧形刃，雙面磨成。
近頂端中部有一喇叭形穿孔。
現藏陝西省西安市文物保護考古所。

龍形佩

商

河南安陽市殷墟婦好墓出土。

長8.2、高4.4厘米。

作卧伏狀，形似夔。張口露齒，大眼小耳，獨角竪起，凹背垂尾，一足前屈。頸飾鱗紋，身、尾飾變形雲紋。

現藏中國社會科學院考古研究所。

龍形佩

商

河南安陽市殷墟婦好墓出土。

直徑7厘米。

龍體蜷曲，尾尖内捲。頭生雙角，腹下有兩短足。身部和尾部飾菱形紋和三角形紋，背兩側飾三角形紋。

現藏中國社會科學院考古研究所。

龍形佩

商
河南安陽市殷墟婦好墓出土。
高5.6、長8.1厘米。
方形頭，張口露齒，身蟠蜷右側，兩足前屈。龍身飾菱形紋和三角紋。
現藏中國社會科學院考古研究所。

龍形佩

商
河南安陽市花園莊54號墓出土。
直徑5.6厘米。
刻雙勾陰綫龍紋，背脊有棱。
現藏中國社會科學院考古研究所。

龍形佩

商

山東滕州市前掌大120號墓出土。

長11.7厘米。

雙面雕。龍爲大方口，口内對鑽一圓孔。“臣”字目，桃葉狀耳，角後傾貼于背部。尾部對鑽一圓孔，身體飾捲雲紋。

現藏中國社會科學院考古研究所。

獸面形佩

商

河南安陽市殷墟婦好墓出土。

高3.5厘米。

獸面呈弧形。頭上生雙角，“臣”字眼，口鼻分明。

現藏中國社會科學院考古研究所。

鳳形佩

商
河南安陽市殷墟婦好墓出土。
高13.6厘米。
作側身回首狀。兩面紋飾相同。
現藏中國社會科學院考古研究所。

雙鳥佩

商
河南安陽市殷墟婦好墓出土。
長8.1、寬12厘米。
雙鳥尾部相連，兩首相背。兩面紋飾相同。鳥冠和兩尾間鑽孔。
現藏中國社會科學院考古研究所。

鳥形佩腹面

鳥形佩

商

河南安陽市新安莊出土。

長9.7厘米。

圓雕。尖勾喙，方眼，“C”形眉，雲紋角，角根粗壯。雙翅收攏，分尾。體部飾勾雲紋，胸部有斜向對鑽孔。腹部有條狀足。

現藏中國社會科學院考古研究所。

鳥形佩

商

河南安陽市郭家莊1號墓出土。

長4.4、高4厘米。

扁體。兩面用陰綫刻出眼、翅及足。

現藏中國社會科學院考古研究所。

鳥形佩

商

山東滕州市前掌大203號墓出土。

高1.8、寬3.2厘米。

平面呈三角形，應爲俯視的正面形象。尖喙，圓目，寬身，展翅，分尾，喙部横穿一圓孔，腹部以單陰綫刻劃出一“田”字紋。

現藏中國社會科學院考古研究所。

鳥形佩

商

山東滕州市前掌大119號墓出土。

長9.1、寬3.7厘米。

嘴呈鷹喙狀，鼻突起，眼凸出，長頸，頸下一孔。

現藏中國社會科學院考古研究所。

鳥形佩

商

山東滕州市前掌大109號墓出土。

高2.7、寬3.2厘米。

鳥首側目，鷹嘴，雕棱紋爲羽毛，塗硃砂。

現藏中國社會科學院考古研究所。

鳥形佩（右圖）

商

山東滕州市前掌大120號墓出土。

高2.3、寬1.7厘米。

長頸、眼凸，頸下一孔，無紋。

現藏中國社會科學院考古研究所。

緑松石鳥形佩

商
山東滕州市前掌大120號墓出土。
長4.9、高3.1厘米。
緑松石質，兩面紋飾相同。尖喙，圓目，有冠，單足三爪。
現藏中國社會科學院考古研究所。

鷹形佩

商
河南安陽市殷墟婦好墓出土。
高6厘米。
一面以雙綫陰刻背部和翎毛，另一面以單綫陰刻胸、腹和翎毛。
現藏中國社會科學院考古研究所。

鵝形佩

商

河南安陽市殷墟婦好墓出土。

高9.8厘米。

鵝體扁平，作站立狀。

現藏中國社會科學院考古研究所。

鴞形佩

商

陝西西安市灞橋區毛西村出土。

高5.3、寬2.5厘米。

近似圓雕，鴞圓目長喙，頭上雕出高捲冠，捲翅，呈站立狀。羽翅以雙鈎法雕琢，腿粗壯，喙部鑽一圓孔。

現藏陝西西安市文物保護考古所。

虎形佩

商
山東滕州市前掌大120墓出土。
長7、寬2.9厘米。
平圓雕相結合。身塗硃砂。
現藏中國社會科學院考古研究所。

虎形佩

商
山東滕州市前掌大221號墓出土。
長6.9、寬1.8厘米。
雙面雕，頭低垂，口向下，四肢卧伏狀。
方目，細長睛，闊口，背耳，前後兩足，長尾上捲。口、尾部各鑽一孔。
現藏中國社會科學院考古研究所。

魚形佩

商

河南安陽市殷墟出土。

長7.1、寬2.7厘米。

張口，圓眼，弓背，鰭竪立。陰綫刻鱗與尾。

現藏中國社會科學院考古研究所。

魚形佩

商

河南安陽市殷墟出土。

長8.5、寬1.5厘米。

整體作圓弧形。頭較長，圓眼，張口，上唇前突，中部有對鑽孔，其中一面以緑松石填充。背鰭爲重環回紋，腹鰭爲陰綫刻紋，長尾分叉，尾端成刃形。

現藏中國社會科學院考古研究所。

魚形佩

商
山東滕州市前掌大103號墓出土。
長6.5厘米。
雙面雕，身體細長，吻部突出，口內對鑽一圓孔。
現藏中國社會科學院考古研究所。

魚形佩

商
山東滕州市前掌大201號墓出土。
長5.5、寬1.4厘米。
雙面雕，尖部較尖，大圓唇，分尾平直。圓睛。
唇部單面鑽一圓孔。
現藏中國社會科學院考古研究所。

魚形佩

商

山東滕州市前掌大120號墓出土。

長6.8厘米。

雙面雕。吻部單面鑽一圓孔。

現藏中國社會科學院考古研究所。

鹿形佩（右圖）

商

山東滕州市前掌大3號墓出土。

高5.4、寬4.3厘米。

雙面雕。

現藏中國社會科學院考古研究所。

牛頭形佩

商

山東滕州市前掌大3號墓出土。

高4.1、寬4.2厘米。

高浮雕，正面雕出牛頭形象。彎角短粗，角尖向上，簸箕狀雙耳，橢圓形目，圓睛，突吻，厚唇，三角形鼻孔，唇下開橫向槽形口。

現藏中國社會科學院考古研究所。

兔形佩

商

山東滕州市前掌大31號墓出土。

長5.4、寬2.1厘米。

雙面單陰綫雕，伏卧狀，突吻，細口，大圓目，長方形耳向後貼于身體表面，短尾上翹，口、臀部各鑽一孔。

現藏中國社會科學院考古研究所。

蛙形佩

商

山東滕州市前掌大201號墓出土。

長1.7、寬1.5厘米。

伏卧姿態，體形肥圓，頭部縮小，由頭至臀縱向穿一道圓孔。

現藏中國社會科學院考古研究所。

螳螂形佩

商

山東滕州市前掌大46號墓出土。

長6.5厘米。

片雕，下部有一條陰綫爲翅邊。

現藏中國社會科學院考古研究所。

人形佩

商

高10.2、寬3.5厘米。

雙面雕。蹲踞狀，側身，頭戴鳳羽冠，雙臂舉于胸前。足下有榫。

現藏中國國家博物館。

跽坐人形佩

商

河南安陽市殷墟婦好墓出土。

高5.6、寬2.8厘米。

圓雕。猴面寬額，“臣”字眼，蒜頭鼻，小口，頭頂留短髮一周，跽坐，雙手撫膝，兩臂略内彎。着衣，上飾雲紋，長袖窄口，後領較高。玉人頸下與後腦有一小孔相通，身下兩腿之間也有一孔用于佩帶或插嵌。

現藏河南博物院。

人形佩

商
山東泰安市龍門口出土。
高7、寬4厘米。
人物頭戴龍鳳冠，身着束腰連衣長裙。
現藏山東省泰安市博物館。

人首鳥身佩

商
河南浚縣大賚店出土。
高7.5厘米。
人首鳥身，雙髻高隆，下身似鳥尾。
胸前及背後飾對稱重環紋。
現藏河南博物院。

跽坐人形佩（右圖）

商
河南安陽市殷墟婦好墓出土。
高8.5厘米。
人物跽坐，雙手扶膝。頭頂中心梳小辮，下垂至頭後。
現藏中國社會科學院考古研究所。

龍形玦

商
河南安陽市殷墟婦好墓出土。
孔徑5.8厘米。
玦作蟠龍形。龍張口露齒，首尾間有缺口。
現藏中國社會科學院考古研究所。

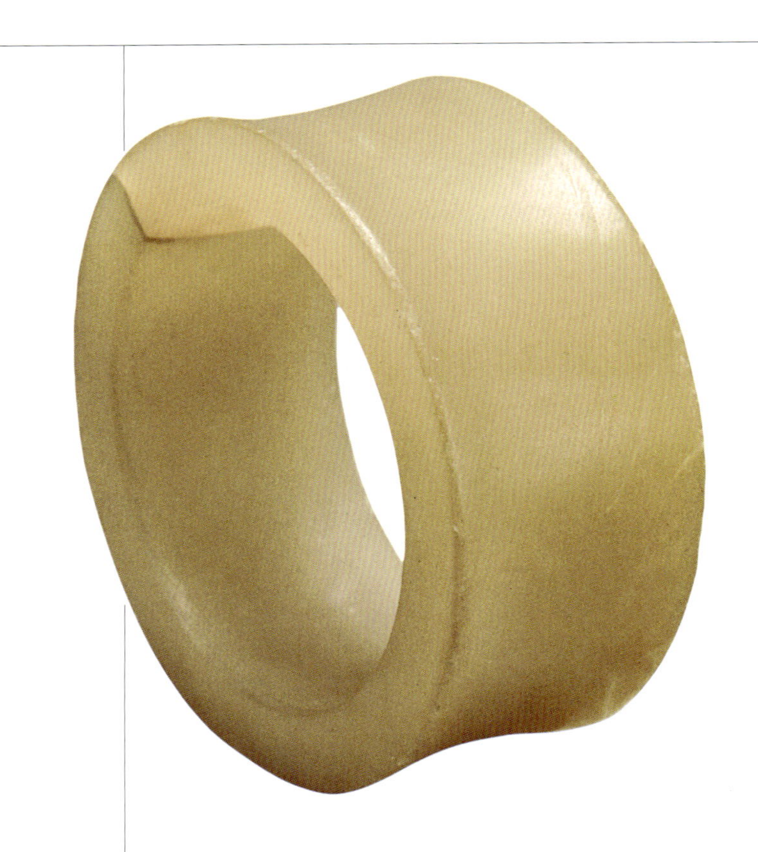

環

商

浙江安吉縣遞鋪鎮三官村出土。

直徑5.2厘米。

圓形，兩端外侈，中間束腰。

現藏浙江省安吉縣博物館。

水晶套環

商

江西新干縣大洋洲鄉程家村出土。

大環直徑7、小環直徑5厘米。

水晶質。器體規矩，正面和兩側邊各琢出一道脊棱。

現藏江西省博物館。

饕餮龍紋觿

商

河南安陽市花園莊54號墓出土。

長10.4、寬2.4厘米。

器體被中部的凹槽分作兩部分。前鋒部分素面。柄部側視爲一龍張口銜刃形象。但此器側面對稱分布紋飾，若以上棱爲中心軸展開柄部紋飾，則爲一淺浮雕饕餮紋，口、鼻、前額、齒、目、眉、角俱全，構圖甚妙。

現藏中國社會科學院考古研究所。

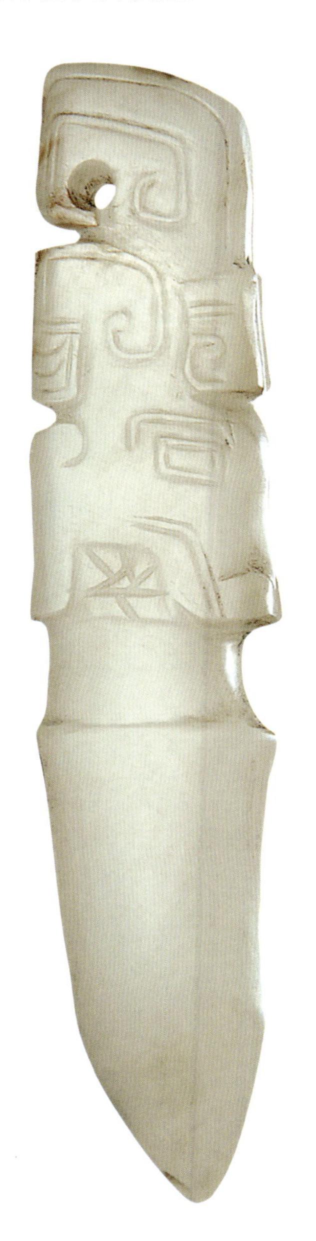

龍紋觿

商

山東滕州市前掌大132號墓出土。

長9.3、寬1.5厘米。

整體爲一龍的造型，龍頭作柄，大張口，銜住刃部，龍尾捲曲于頭後。

現藏中國社會科學院考古研究所。

柄形器

商

河南安陽市殷墟婦好墓出土。

長15.3、寬1.1厘米。

體窄長，斷面近方形。表面雕蓮瓣形紋五段。

柄上端刻陽綫兩條，下端有尖狀榫。

現藏中國社會科學院考古研究所。

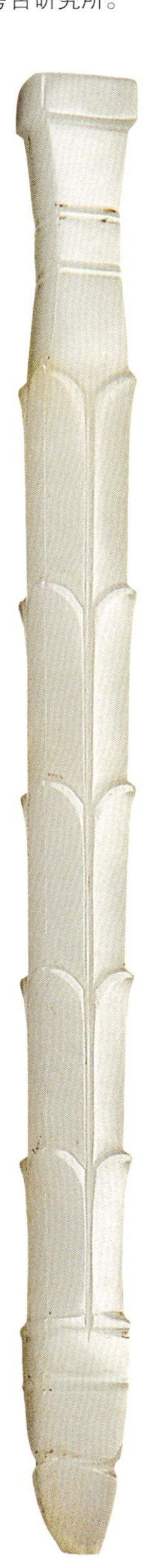

柄形器

商

河南安陽市殷墟婦好墓出土。

長14.7、寬2.1厘米。

平頂，下端呈舌形。一面飾蟬紋，

另一面飾夔紋和獸面紋。

現藏中國社會科學院考古研究所。

柄形器

商

陝西西安市未央區尤家莊出土。

長17、寬1.8厘米。

柄部束腰，末端斷面呈長方形，有圓形鑿孔，中部飾五道凸起寬帶紋。

現藏陝西省西安市文物保護考古所。

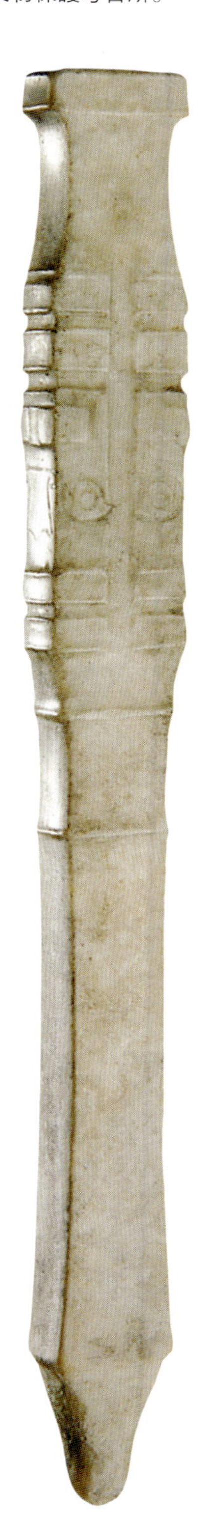

柄形器

商

江西新干縣大洋洲鄉程家村出土。

長16.3、寬2厘米。

長條扁方體，四角圓潤。器身内陰綫刻弦紋，分成三節，每節上部飾簡化蟬紋。

現藏江西省博物館。

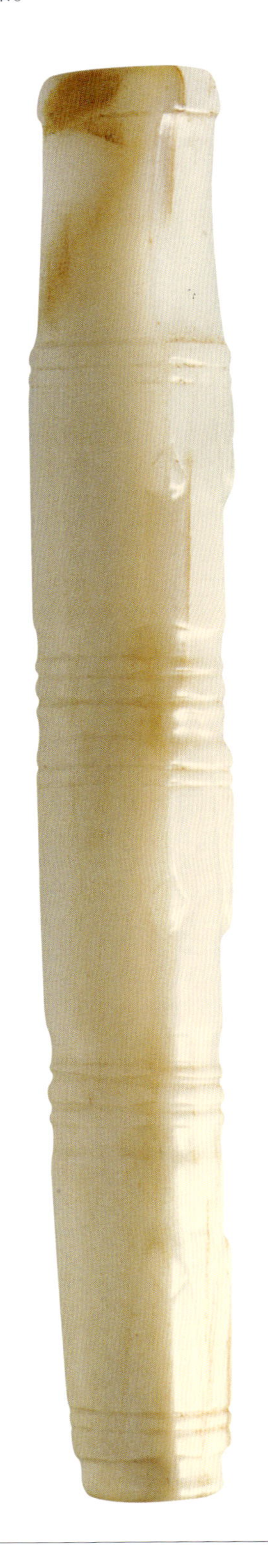

柄形器

商

江西新干縣大洋洲鄉程家村出土。

長20、寬2.2厘米。

器爲長方條體，兩端中心對鑽穿孔。器身以三道細凹弦紋分成三節，每節又以寬淺凹槽分成二組，每組飾淺浮雕蟬紋。

現藏江西省博物館。

柄形器

商

浙江安吉縣遞鋪鎮三官村出土。

長7.8厘米。

圓柱形，中有一圓孔，通體刻三組紋飾，上爲兩組獸面紋，中間爲旋渦紋，下爲獸面紋，底刻旋渦紋。一獸面紋的眉處還殘留緑松石鑲嵌。

現藏浙江省安吉縣博物館。

鳥首笄

商

河南安陽市殷墟婦好墓出土。

長13.7厘米。

笄頭刻作鳥首狀。

現藏中國社會科學院考古研究所。

人首笄

商

河南安陽市小屯村出土。

長17.8、寬2.9厘米。

笄身長椎形，笄首扁長形。爲人頭側面，頭有羽狀飾，耳偏高，下有勾形棱脊，緣做出刃部，紋飾以雙勾綫爲主。

現藏臺灣“中央研究院歷史語言研究所”。

鐲

商

河南安陽市花園莊54號墓出土。

直徑5厘米。

器身有四周較寬的凹槽，從而形成較寬的五周“凸棱”。中部三條凸棱兩側分別各有一條細陰綫紋。

現藏中國社會科學院考古研究所。

鐲

商

山東滕州市前掌大120號墓地出土。

直徑6.3厘米。

剖面不甚規則，外飾連體雲紋，塗硃砂。

現藏中國社會科學院考古研究所。

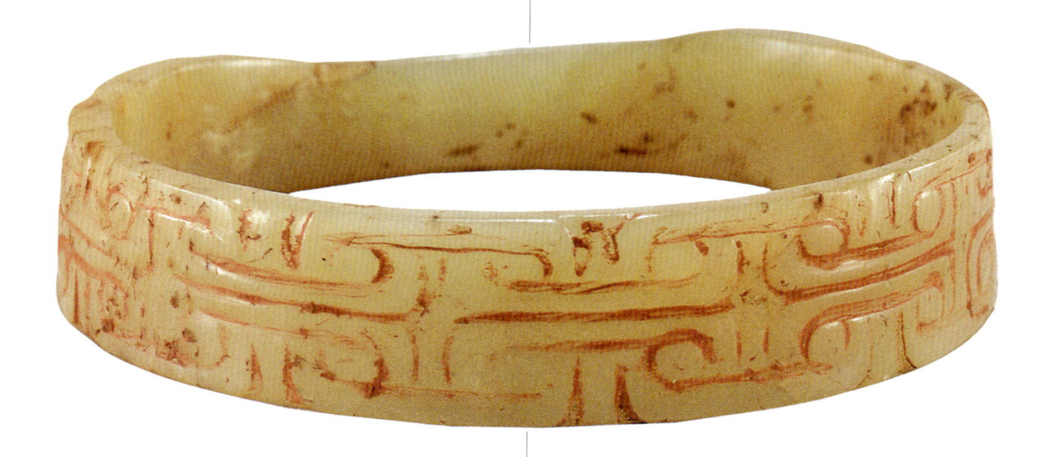

鐲

商
江西新干縣大洋洲鄉程家村出土。
直徑7.9厘米。
上下兩節，每節等距淺刻寬豎綫槽四條，將外壁上下各節分成四等分，每等分的上下刻凹弦紋兩組。
現藏江西省博物館。

扳指

商
河南安陽市殷墟婦好墓出土。
高2.7–3.8、直徑2.4厘米。
正面以雙鈎綫紋刻獸面紋，獸口向下，短足前屈，獸鼻兩側各有一圓孔。
現藏中國社會科學院考古研究所。

扳指側面

雙面立人像

商
河南安陽市殷墟婦好墓出土。
高12.5、肩寬4.4厘米。
鏤雕加陰綫紋琢製。兩面紋飾略有不同，
一面爲男人形象，一面爲女人形象。
現藏中國社會科學院考古研究所。

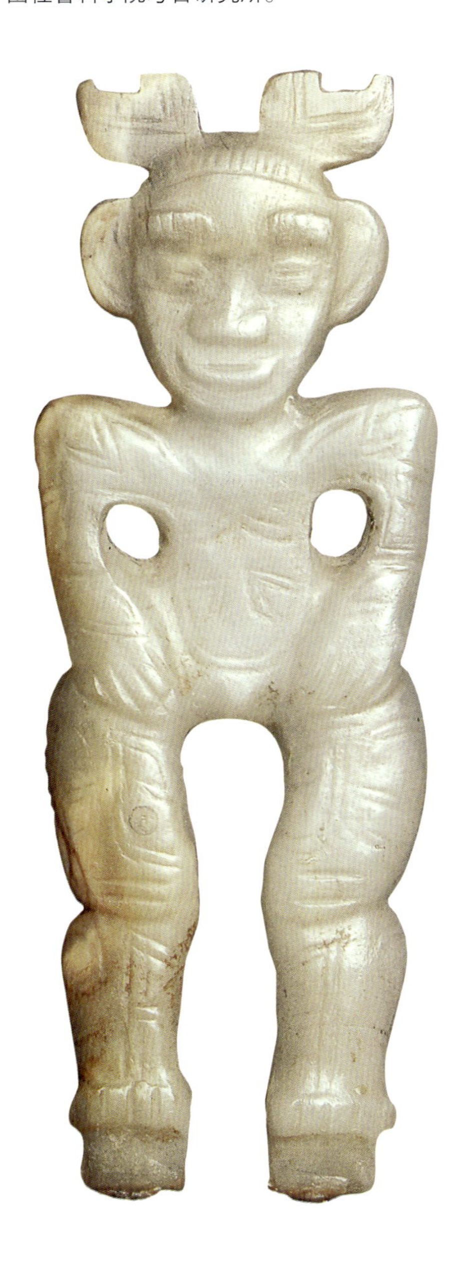

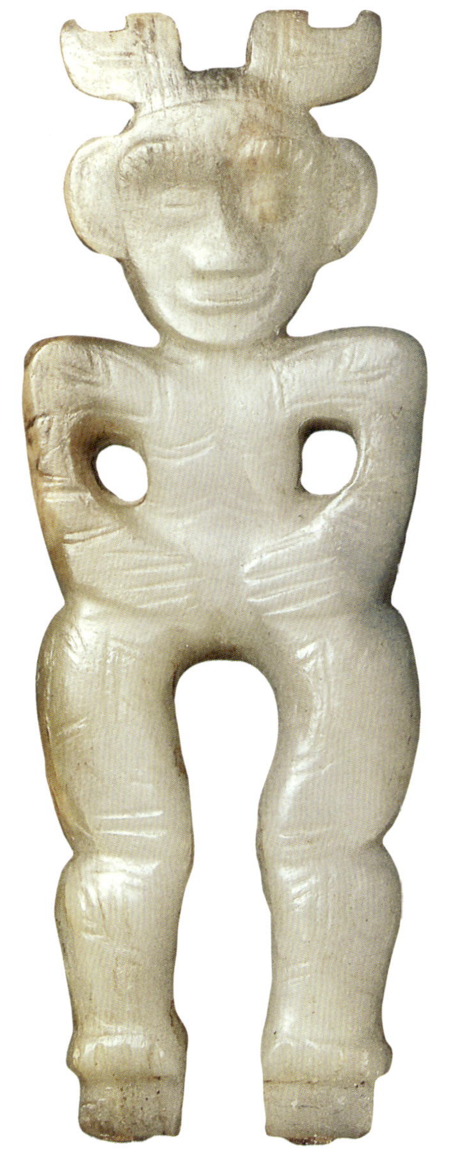

雙面立人像另一面

跽坐人形飾

商

河南安陽市殷墟婦好墓出土。

高7厘米。

兩件器物大體相同。跽坐，雙手撫膝。頭梳長辮，戴圓箍形冠。着交領衣，腰束帶。腰左側佩一寬柄器，器上端作捲雲形，下端作蛇頭形。

現藏中國社會科學院考古研究所。

虎首踞坐人形飾

商

河南鹿邑縣長子口墓出土。

高9.8厘米。

圓雕，正面看爲一虎首踞坐人，從背面看爲一蹲鴞。虎口大張，其身爲人，雙手撫膝，身着衣，長袖及腕。背鴞大勾鼻，鼻下一圓孔，圓目突睛，人背作鴞身，人的胳膊作雙翼，昂首挺胸。此件設計獨具匠心。

現藏河南省文物考古研究所。

虎首踞坐人形飾背面

人形飾

商

高10.3厘米。

站立狀。頭戴平頂冠，雙耳戴耳環，雙手抱于腹前，腰部纏帶。

現藏上海博物館。

羽人形飾

商

江西新干縣大洋洲鄉程家村出土。

高11.5厘米。

作側身蹲坐式。頭戴鳥形高冠，鳥尾琢出三個相連的鏈環。喙狀口，雙臂置于胸前。腰背兩側至臀部各有一豎列鱗片紋，鱗片紋外側雕羽翼。

現藏江西省博物館。

人首形飾

商

高6.2、寬3.6厘米。

頭戴冠，雙耳戴耳環，口生獠牙。

長頸，頸後飾鳥形圖案。

現藏上海博物館。

人面紋飾

商

河北藁城市臺西村85號墓出土。

高3.5厘米。

正面雕出人面形狀，背面内凹無紋飾。

出土時握于墓主人右手中。

現藏河北省文物研究所。

神面形飾

商

江西新干縣大洋洲鄉程家村出土。

高16.2、上寬7、下寬5厘米。

正面飾戴平頂捲角高羽冠的神人獸面，

棱形眼，寬鼻梁，口生獠牙。

現藏江西省博物館。

人首形飾（右圖）

商
河南安陽市小屯331號墓出土。
長8.5、寬3.6厘米。
作側面人頭形，分頸、頭臉和冠三段。
頭上有羽冠，臉部以淺浮雕法刻五官。
現藏臺灣"中央研究院歷史語言研究所"。

象形飾

商
河南安陽市殷墟婦好墓出土。
高3.3、長6.5厘米。
爲迄今所知最早的玉象實物。
現藏中國社會科學院考古研究所。

虎形飾

商

河南安陽市殷墟婦好墓出土。

長14.1、高3.5厘米。

虎作伏卧狀。身飾雲紋，尾飾節狀紋。

現藏中國社會科學院考古研究所。

虎形飾

商

山東滕州市前掌大222號墓出土。

長4.9、高2.5厘米。

片雕，陰刻較淺，頸部一孔。

現藏中國社會科學院考古研究所。

牛形飾

商
山東滕州市前掌大222號墓出土。
長4.8厘米。
伏卧狀，身飾捲雲紋。
現藏中國社會科學院考古研究所。

牛頭形飾（右圖）

商
山東滕州市前掌大120號墓出土。
高4.8、寬2.5厘米。
單面雕。彎角短粗，桃葉狀耳，菱形目，
突吻，厚唇，唇下開橫向槽形口。
現藏中國社會科學院考古研究所。

鴞形飾

商
河南安陽市殷墟婦好墓出土。
高7.7厘米。
兩耳相連，便于繫拴，喙部極其誇張，兩足與尾羽形成三足鼎立狀。造型獨具匠心。
現藏中國社會科學院考古研究所。

鴞形飾

商
河南安陽市殷墟婦好墓出土。
高6.5、底寬4.6厘米。
圓雕。造型肥碩，全身飾陰綫雙鈎勾雲紋。
現藏中國社會科學院考古研究所。

鳥形飾另一面

鳥形飾

商
河南安陽市劉家莊出土。
高7.4厘米。
尖喙內勾，圓眼，突顯高冠。冠面飾以雲紋，并在上側出牙。雙翅收攏後伸，腹部亦飾雲紋，雙足微曲。
現藏中國社會科學院考古研究所。

鳥形飾

商
山東青州市蘇埠屯出土。
高2.4、寬4厘米。
片雕，雙鈎陰刻。
現藏山東省博物館。

魚形飾

商

河南安陽市殷墟婦好墓出土。

長10.6厘米。

體窄長，彎成半圓形。閉口圓眼，背鰭雕作扉棱形，口部有短榫。

現藏中國社會科學院考古研究所。

蟬形飾（右圖）

商

湖北武漢市黄陵區盤龍城樓子灣出土。

高8.8、寬2.4厘米。

蟬形，首端殘。横截面呈斜四邊形，尾段斜而較厚，以陰綫及减地法在四面雕出蟬紋。

現藏湖北省文物考古研究所。

綠松石蟬形飾

商
江西新干縣大洋洲鄉程家村出土。
長4.6、寬2、高1.5厘米。
綠松石質。蟬腹底平齊。
現藏江西省博物館。

綠松石蛙形飾

商
江西新干縣大洋洲鄉程家村出土。
長1.7、寬1厘米。
綠松石質。蛙腹底平齊。
現藏江西省博物館。

鱉形飾

商

河南安陽市小屯村北地出土。

長4厘米。

在玉雕工藝中，巧妙運用玉石料的紋理和色澤雕刻而成的作品，稱爲俏色玉雕。此件作品是中國現知最早的俏色玉雕之一。

現藏中國社會科學院考古研究所。

龍形小刀

商

高5.8、寬3.5厘米。

獨角、有足、尾。胸前有鈕，可穿繫。尾部爲刀，可作切割用。爲當時的一種實用工藝品。

現藏故宮博物院。

獸面牌飾

商

河南安陽市高樓莊1號墓出土。

高8.9、寬4.8厘米。

上端窄，下端較寬，兩端皆有刃。兩側有扉，上端中部有孔。一面有紋飾，上下各飾一獸面。

現藏中國社會科學院考古研究所。

獸面牌飾

商

山東滕州市前掌大206號墓出土。

長4.7、寬2.6厘米。

弓背，面刻陰綫變體獸面紋，塗硃砂。

現藏中國社會科學院考古研究所。

蝶形獸面牌飾

商

山東滕州市前掌大119號墓出土。

長3.2、寬2.7厘米。

陽刻獸面紋，“臣”字大眼，鼻闊，兩側各有一對穿孔，鼻下還斜穿一孔。塗硃砂。

現藏中國社會科學院考古研究所。

饕餮紋簋

商

河南安陽市殷墟婦好墓出土。

高10.8、口徑16.8厘米。

通體琢雕紋飾，口下飾三角形紋，腹部飾三組饕餮紋，近底部飾菱形紋和三角紋。圈足上飾雲紋和目紋。

現藏中國社會科學院考古研究所。

扉棱簋

商

河南安陽市殷墟婦好墓出土。

高12.5、口徑20.5厘米。

直口，腹部微鼓，圜底，有圈足。腹部外側有對稱的四條扉棱，扉棱間飾折綫紋和雲雷紋。

現藏中國國家博物館。

渦紋簋

商

河南鹿邑縣長子口墓出土。

高11.2、直徑17厘米。

腹中部施一周弦紋相間的渦紋帶，

以減地來表現渦紋。

現藏河南省文物考古研究所。

鑿

商

四川廣漢市三星堆遺址2號祭祀坑出土。

長15.8、寬1.2厘米。

兩側直，一面平，斷面呈梯形。

現藏四川省三星堆博物館。

戈

西周

四川成都市金沙遺址出土。

長36.2、寬4.3厘米。

器表光潔。

現藏四川省成都市文物考古研究所。

戈

西周

四川成都市金沙遺址出土。

長50、寬8.6厘米。

在援部有三條陰刻直綫組成的梯形外框，其內有二條陰綫梯形框，內飾菱形紋。陰綫內塗硃砂。

現藏四川省成都市文物考古研究所。

連弧刃戈

西周
四川成都市金沙遺址出土。
長16.2、寬4.7厘米。
刃部均磨薄，抛光。
現藏四川省成都市文物考古研究所。

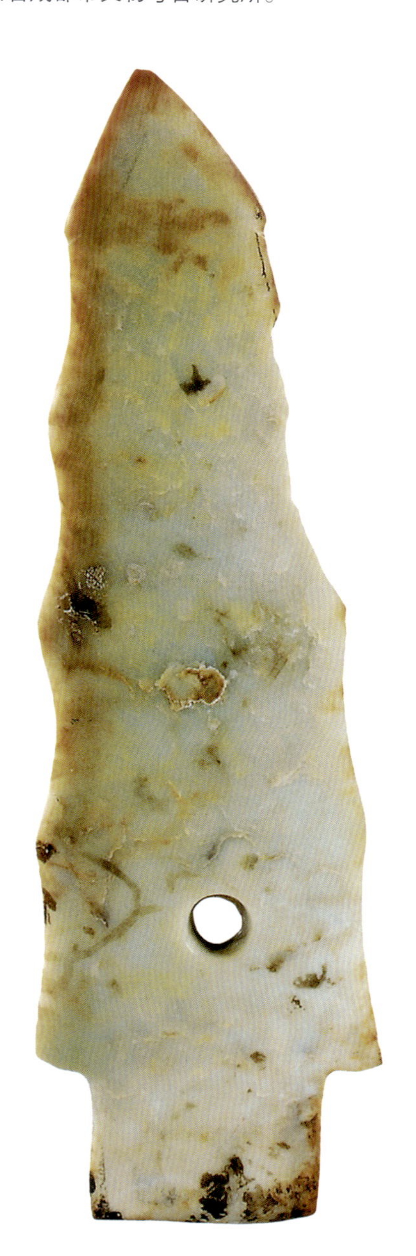

璋

西周
四川成都市金沙遺址出土。
長21.5、寬3.9厘米。
刃呈斜内弧形。闌上陰刻多道等距的平行直綫紋，綫紋上還殘存少許硃砂，闌與柄交接處有一單面鑽穿孔。
現藏四川省成都市文物考古研究所。

璋

西周

四川成都市金沙遺址出土。

長42.2、寬9.1厘米。

器呈長條形，體扁薄。刃部呈斜内弧形，器身中部微束腰，柄部近主闌處有一雙面鑽圓孔。闌部飾一隻卧獸。

現藏四川省成都市文物考古研究所。

璋

西周

四川成都市金沙遺址出土。

長39.2、寬7.3厘米。

闌部主闌殘，原應爲鏤雕飛鳥。

戈身中部兩面分别陰刻人頭紋。

現藏四川省成都市文物考古研究所。

有領璧
西周
四川成都市金沙遺址出土。
直徑11厘米。
整體磨光，璧兩面均陰刻同心圓弦紋三周。
現藏四川省成都市文物考古研究所。

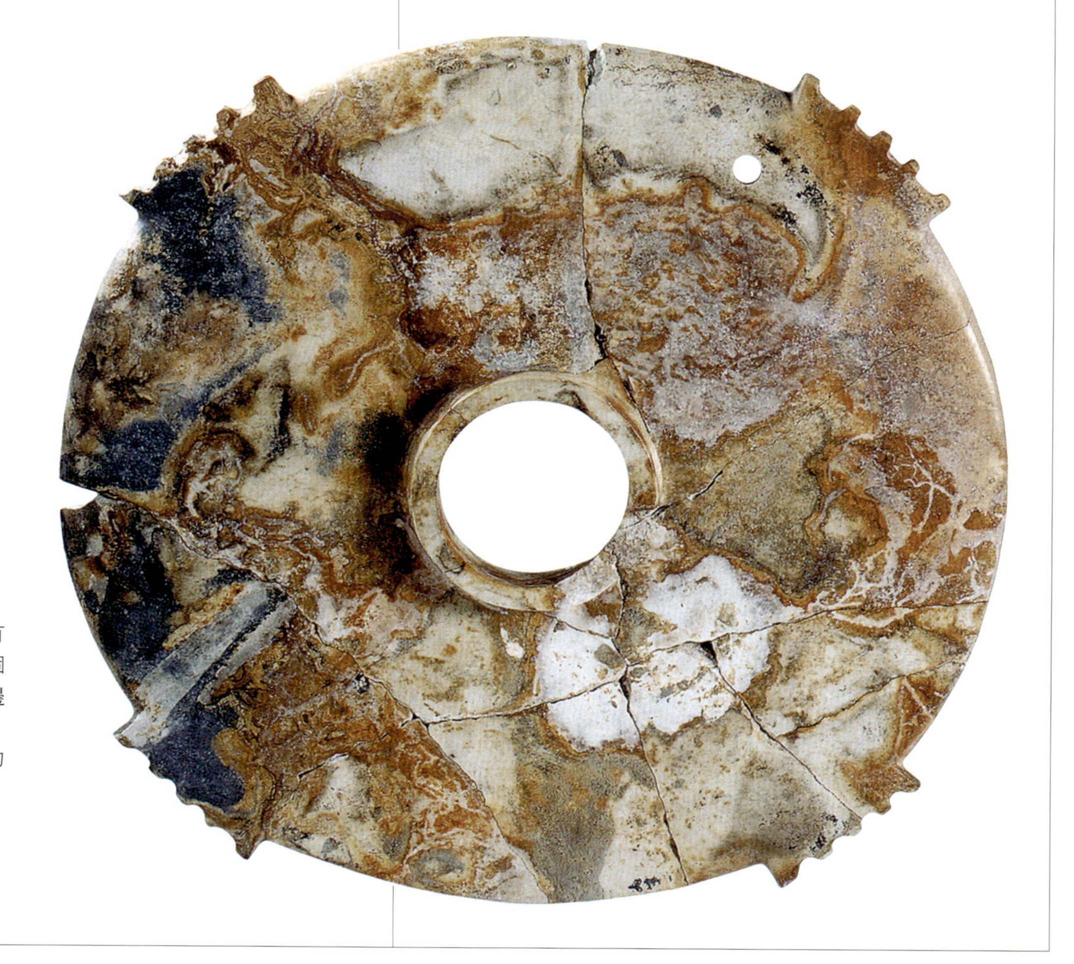

四出有領璧形器
西周
四川成都市金沙遺址出土。
直徑26.4厘米。
玉質較差。璧的周邊有四組扉牙，每組五個齒。在一組凸齒下的邊輪上，有一小圓孔。
現藏四川省成都市文物考古研究所。

璧

西周

四川成都市金沙遺址出土。

直徑10.5厘米。

圓形，璧面有天然紋路。

現藏四川省成都市文物考古研究所。

獸面紋鉞（右圖）

西周

四川成都市金沙遺址出土。

長22.4、寬11.4厘米。

首部及兩側陰刻捲雲紋，首部刻獸面，兩面紋飾一樣。雙面刃。

現藏四川省成都市文物考古研究所。

梯形器

西周

四川成都市金沙遺址出土。

長30、寬10.7–19厘米。

梯形，上口和下端切割平齊，兩側相對向內捲曲，形成卡槽。器內壁雕有四條凸綫，形成五個上寬下窄的綫槽。底板和兩側卡槽處有孔。

現藏四川省成都市文物考古研究所。

梯形器另一面

神人頭像

西周
四川成都市金沙遺址出土。
高2.3、寬3.4厘米。
兩面紋飾一樣，長眉，大眼鉤鼻，
闊口，大尖耳，頭戴冠飾。
現藏四川省成都市文物考古研究所。

環

西周
四川成都市金沙遺址出土。
直徑6.9厘米。
圓形，無紋飾。
現藏四川省成都市文物考古研究所。

鑿

西周
四川成都市金沙遺址出土。
長14.1、寬3.1厘米。
通體抛光。
現藏四川省成都市文物考古研究所。

錛

西周
四川成都市金沙遺址出土。
長25.7、寬6.4厘米。
通體磨光。
現藏四川省成都市文物考古研究所。

貝

西周
四川成都市金沙遺址出土。
長3.2、寬2.7厘米。
正面弧形，背面素平直，兩側邊中段飾四個較淺的齒狀突起，中部一縱向溝槽，溝槽兩側有對稱排列的十四道綫槽。有穿。
現藏四川省成都市文物考古研究所。

戈

西周
陝西岐山縣賀家村102號墓出土。
長11.6、寬2.2厘米。
中部起脊綫，兩側開刃。
現藏陝西省周原博物館。

戈

西周
陝西寶鷄市茹家莊出土。
長14、寬3.3厘米。
直援、直內，前鋒尖利，援內部均碾琢出脊綫并開刃，援體碾琢兩道凹形波槽，援面和兩側形成三條極細的棱綫，援身後鑽一圓形穿孔。通體光素無紋。
現藏陝西省寶鷄市青銅器博物館。

戈

西周
陝西西安市長安區張家坡墓地出土。
長31.3、寬7.5厘米。
有中脊，上刃直，下刃略弧，內部寬長，通體打磨光滑。
現藏中國社會科學院考古研究所。

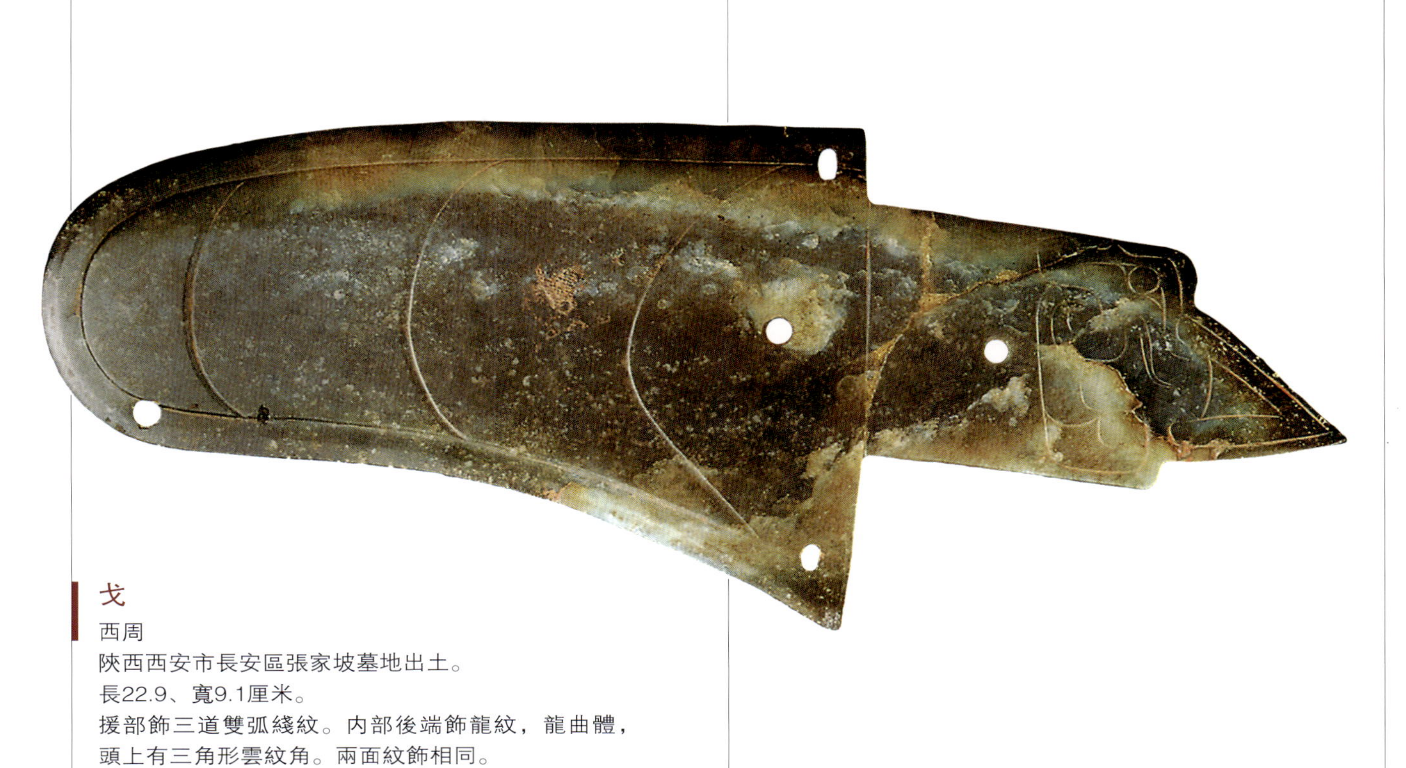

戈

西周
陝西西安市長安區張家坡墓地出土。
長22.9、寬9.1厘米。
援部飾三道雙弧綫紋。內部後端飾龍紋，龍曲體，頭上有三角形雲紋角。兩面紋飾相同。
現藏中國社會科學院考古研究所。

鳳鳥紋戈（右圖）

西周

陝西扶風縣强家村1號墓出土。

長7.5厘米。

直援無脊，兩側開刃。上、下闌部均爲鳳鳥首，鳳鳥首之上爲羽翼。兩面紋飾相同。

現藏陝西省周原博物館。

戈

西周

山西曲沃縣晋侯墓地63號墓出土。

長54.4厘米。

援長内短，援中起脊，前鋒和邊刃鋭利，援近闌處刻雙陰綫雙邊框紋和網格紋。

現藏山西省考古研究所。

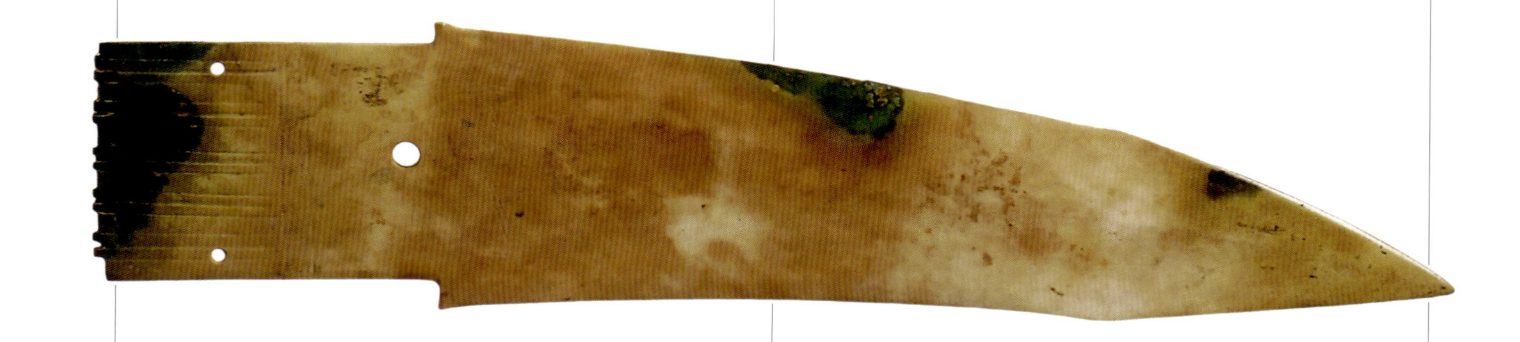

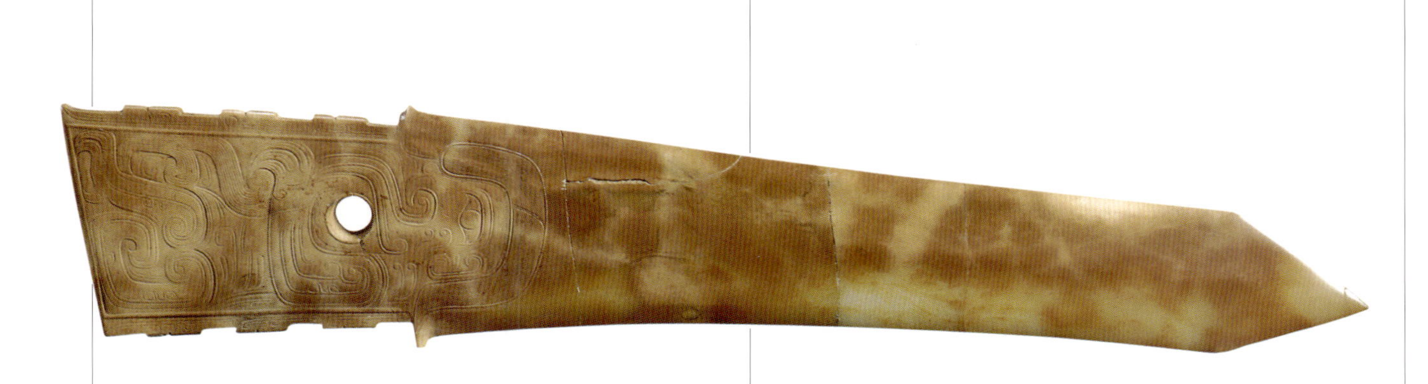

人首神獸紋戈

西周
山西曲沃縣晉侯墓地63號墓出土。
長36.2厘米。
長援起脊，通體抛光。內部兩面紋飾相同，爲一側面人首神獸圖案，神獸以尾支地作踞坐狀。紋飾以雙鈎技法爲主。
現藏山西省考古研究所。

戈

西周
北京房山區琉璃河黄土坡西周墓出土。
長55.5、寬10.5厘米。
直援尖首，援上、下皆雙面刃，中間起脊，但脊綫不明顯。內長方形，上有七組直綫紋。
現藏首都博物館。

鳥形戈

西周

山西曲沃縣晉侯墓地63號墓出土。

長15.9厘米。

造型爲戈與立鳥的組合。戈的援長内短，有中脊和邊刃。内下接立鳥，鳥昂首，圓眼彎喙，長頸飾有鱗紋，腹部微鼓，翼翅略張，足爪粗壯，尾羽及地，足下穿孔。

現藏山西省考古研究所。

鳳鳥紋琮

西周

陝西西安市長安區張家坡墓地出土。

高5.5、孔徑3.3厘米。

外方内圓。器表四面各飾一隻鳳鳥。

現藏中國社會科學院考古研究所。

琮

西周
陝西西安市長安區張家坡墓地出土。
高6.8厘米。
其造型與傳統的内圓外方琮不同，它爲一端略大的長方形高筒狀，兩端有短射，内孔亦是方形，由兩端鑿通。通體磨光，素面無紋。
現藏中國社會科學院考古研究所。

琮

西周
陝西西安市雁塔區山門口村出土。
高8.5、孔徑4厘米。
琮體外方内圓，兩端有射，四面平素無紋。内外表面均平滑光潤。
現藏陝西省西安市文物保護考古所。

琮

西周
陝西西安市長安區新旺村出土。
高5.4、孔徑6.8厘米。
琮體外方內圓，兩端有短射，光素無紋。
現藏陝西省西安市文物保護考古所。

龍紋璧

西周
陝西扶風縣老堡子村60號墓出土。
直徑8.8厘米。
圓形扁平體，中孔較大。在璧兩面各雕出一條口大張首尾幾乎相連的龍紋，斜刀琢出龍目，花紋多采用雙鉤技法，綫條剛勁流暢。
現藏陝西省周原博物館。

龍紋璜

西周
山西曲沃縣晉侯墓地31號墓出土。
長7.3厘米。
兩面均刻變形龍紋。通體塗硃砂。
現藏山西省考古研究所。

人形璜

西周
山西曲沃縣晉侯墓地31號墓出土。
長9.2厘米。
兩面刻有造型相同的紋飾。一端爲人首形，刻有簡略的五官，軀身有羽翅，并飾有雲紋。下爲龍首，捲鼻，變形“臣”字目。通體塗硃砂。
現藏山西省考古研究所。

龍紋璜

西周

山西曲沃縣晉侯墓地31號墓出土。

長8.5厘米。

兩面刻有相同的紋飾，以雙鈎的技法雕琢出龍紋。

兩端爲回首龍頭。通體塗硃砂。

現藏山西省考古研究所。

龍紋璜

西周

山東滕州市莊里西村出土。

長13厘米。

表面兩端以雙鈎加單陰綫琢夔龍紋，兩面紋飾相同。

現藏山東省滕州市博物館。

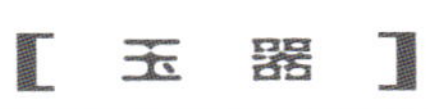

鳥紋璜

西周
陝西西安市長安區灃西配件廠出土。
長9.1、寬3厘米。
璜呈扁體弧形，雙面琢刻立姿鳥紋。
現藏陝西省西安市文物保護考古所。

饕餮紋鉞

西周
河南安陽市花園莊54號墓出土。
長15.6、寬2.7厘米。
類似于銅斧，器身厚重。中部起脊，三角形鋒，長方形銎，銎部正背面均飾饕餮紋。
現藏中國社會科學院考古研究所。

鳳鳥紋刀

西周
山東濟陽縣姜集鄉劉臺子村出土。
長13.6、寬3.8厘米。
頂部和兩側有對稱的齒牙，下端由兩面斜磨成刃。
兩面有紋飾，均飾兩隻雙鈎鳳鳥。
現藏山東省德州市文化局。

龍紋刀

西周
河南洛陽市北窑西周墓出土。
長10.7、寬2.7厘米。
刀首呈尖狀，柄爲捲尾龍形。
現藏河南省洛陽博物館。

組佩

西周

陝西扶風縣强家村1號墓出土。

通長70厘米。

它是由玉蠶佩、玉魚佩、玉獸頭佩以及長方形、半圓形、近似三角形等玉佩，還有玉管、紅黃兩種瑪瑙珠總計47件所組成的玉組佩。5件不同形狀的玉佩上，均陰刻構圖各异的人龍合雕紋。

現藏陝西省周原博物館。

組佩

西周
山西曲沃縣晋侯墓地92號墓出土。
其中最大的璜長8.5厘米。
由282件形制各异的玉佩組成。有玉珩、璜、圭、束腰形玉片，以及玉貝、玉珠、玉管、瑪瑙珠、瑪瑙管、綠松石和料珠等。
現藏山西省考古研究所。

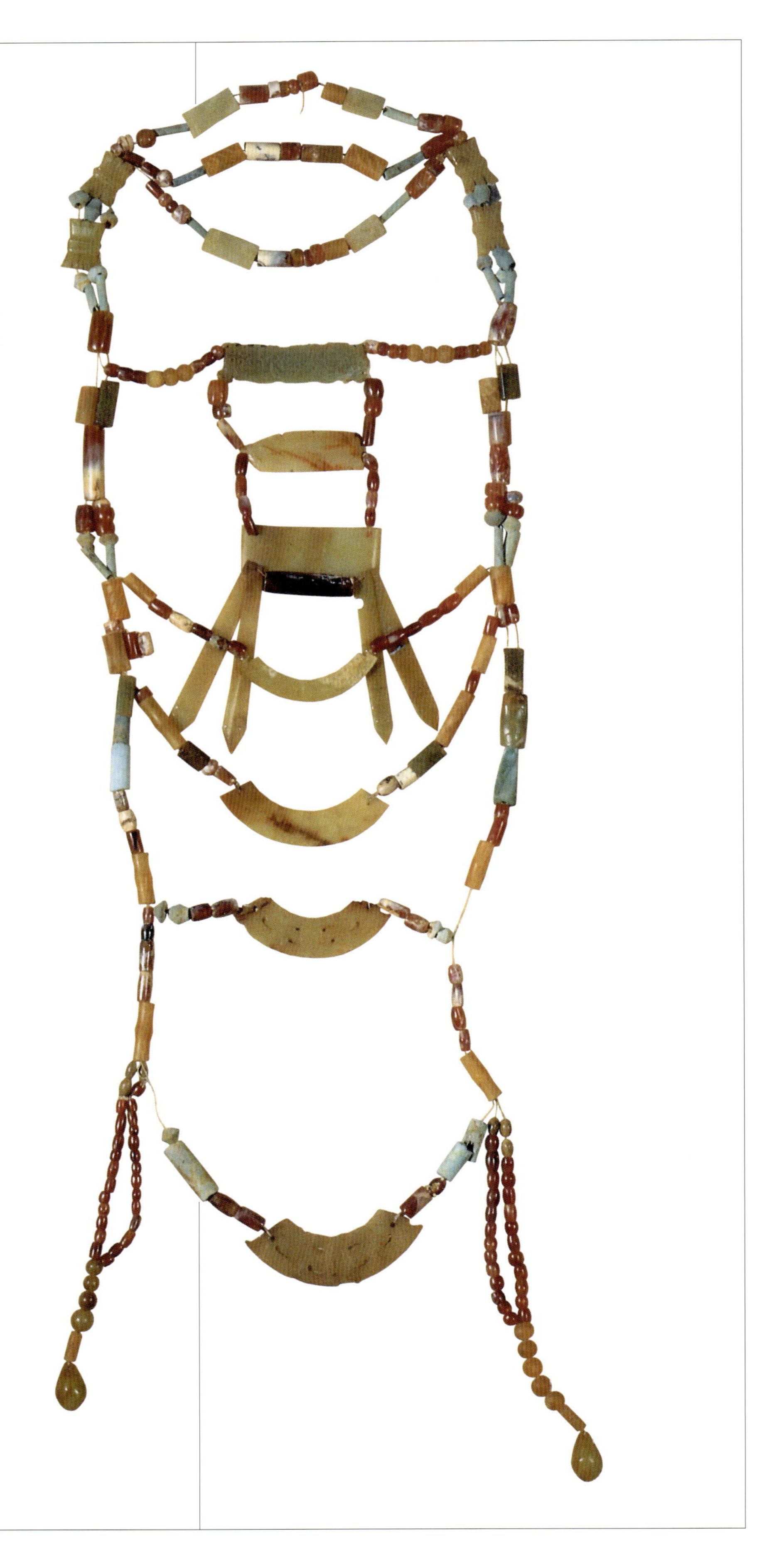

組佩

西周
陝西扶風縣强家村出土。
通長80厘米。
由四件玉璜和人龍鳥獸紋合雕玉佩、獸形龍鳥紋合雕玉佩、玉獸頭、長橢圓形雙鳳紋玉佩、八件長條橢圓形變形鳳鳥紋和變形龍紋玉佩，以及玉管、紅黃白瑪瑙珠管連綴所組成，各種玉佩及瑪瑙管總數達396件，繫于人之頸部，可下垂至胸腹。
現藏陝西省周原博物館。

多璜組佩

西周
山西曲沃縣晉侯墓地63號墓出土。
通長150厘米。
由50件玉璜及玉珩、衝牙、玉管、料珠、瑪瑙管組成，共計204件。
現藏山西省考古研究所。

七璜聯珠組佩

西周
河南三門峽市虢國墓地出土。
通長126厘米。
上部爲由青玉管和紅瑪瑙珠組成的項飾，下部爲由7件玉璜及紅瑪瑙珠和緑松石珠組成的胸組佩飾。
現藏河南博物院。

組佩

西周
山西曲沃縣晉侯墓地31號墓出土。
最大的璜長16.2厘米。
由408件形制各异的玉件組成。
現藏山西省考古研究所。

項飾

西周
山東曲阜市魯國故城出土。
通長40厘米。
由獸首2件、夔龍6件、蟬4件及玉管組成。
現藏山東省曲阜市文物局。

玉牌連珠串飾

西周
山西曲沃縣晋侯墓地31號墓出土。
牌高8.7、上寬5.6、下寬7.7厘米。
由玉牌、玉珠、瑪瑙珠、料珠等584件形制各异的玉件組成。
現藏山西省考古研究所。

項飾

西周
山西曲沃縣晋侯墓地102號墓出土。
最大牌飾5.4、寬2.9厘米。
由6件玉牌和玉管、玉珠、
緑松石管和瑪瑙珠組成。
現藏山西省考古研究所。

鳳紋璜

西周
陝西西安市長安區張家坡273號墓出土。
長8.7、寬1.9厘米。
中間陰刻一鳳，兩端雕獸首，兩面紋飾相同。
現藏中國社會科學院考古研究所。

鳳紋璜

西周
陝西西安市長安區張家坡152號墓出土。
長7.8、寬2.7厘米。
兩端及外弧雕出魚尾式齒棱。中間飾一鳳鳥。
兩面紋飾相同。
現藏中國社會科學院考古研究所。

雙龍紋璜

西周
河南三門峽市虢國墓地出土。
長9.7、寬1.9厘米。
正背兩面飾陰綫雙龍紋。“臣”字眼，眼角綫下彎，雲紋大耳，頭頂上雕出細密的平行曲綫作爲飄鬣。璜兩端各鑽有一個圓形穿孔。
現藏河南省三門峽市博物館。

龍形佩

西周
陝西西安市長安區張家坡墓地出土。
直徑6.5厘米。
龍張口捲尾成玦形。頭上有鈍角，翹鼻，雙鈎綫“臣”字目，腹下伸出一足，足分爲三爪，背部琢成節狀凸棱。兩面均陰刻鱗紋，背部和腹部各鑽一圓孔。
現藏中國社會科學院考古研究所。

龍形佩

西周
陝西西安市長安區張家坡墓地出土。
直徑8.7厘米。
捲鼻大口，頭頂瓶狀角，龍身刻捲雲紋，
兩面紋飾相同，鼻上有一小孔。
現藏中國社會科學院考古研究所。

龍形佩

西周
陝西西安市長安區張家坡墓地出土。
直徑8.7厘米。
兩面刻劃龍形紋。龍口銜一魚。
現藏中國社會科學院考古研究所。

龍形佩

西周
陝西西安市長安區張家坡157號墓出土。
長6.6、寬2.9厘米。
中部爲一蜷體龍，龍尾與口相連。
兩側透雕雲紋。兩面紋飾相同。
現藏中國社會科學院考古研究所。

人首龍紋佩

西周
陝西扶風縣黄堆村3號墓出土。
長4.1、寬2.7厘米。
一面飾兩條張口且纏體的龍，龍口吐長舌，
舌尖均生出一人首。人首均爲圓頂，圓眼，
隆鼻，雲紋大耳，略去下巴。
現藏陝西省周原博物館。

雙人首龍鳳紋佩

西周
陝西西安市長安區張家坡157號墓出土。
長6.8、寬2.4厘米。
上部有大小二個人首與下方三龍一鳳相連接。兩面紋飾相同。
現藏中國社會科學院考古研究所。

龍形佩（右圖）

西周
河南三門峽市虢國墓地出土。
高4.8、寬3.8厘米。
龍身彎成半環形，龍口吐長舌，内捲成一圓環。圓環内透雕一個生有雙角的獸頭。龍身飾雲紋。兩面紋飾相同。
現藏河南省三門峽市虢國博物館。

盤龍形佩

西周
河南三門峽市虢國墓地出土。
高3.7、寬3.7厘米。
一對。龍身盤捲，一面飾雙鈎紋飾，一面平素。
現藏河南省三門峽市虢國博物館。

夔龍紋佩

西周
山東滕州市莊里西村出土。
長8.9厘米。
彎曲似魚，兩邊有短翅，作游動狀。兩面均飾兩條雙鈎交尾夔龍。
現藏山東省滕州市博物館。

人首龍形佩（右圖）

西周
山西曲沃縣晋侯墓地63號墓出土。
高8.1、寬3.1厘米。
片雕，橢圓形。兩面紋飾相同。圓眼大鼻，腦後飾一龍，胸部爲一蟠龍，龍首較大。後腰部爲一龍首。腿作蹲踞狀。
現藏山西省考古研究所。

人首龍形佩

西周

河南三門峽市虢國墓地出土。

高5.9、寬1.9厘米。

人作蹲踞狀，頭部盤有一龍，頸下亦雕一龍，臀部飾一龍首。

現藏河南省三門峽市虢國博物館。

人首龍形佩

西周

高6.9、寬2.6厘米。

身體蜷曲，人頭較小，胸部出一向下龍頭。腦後飾一龍，龍頭外側輪廓呈人面側影形。此玉佩爲人、龍合體。

現藏故宮博物院。

人形佩

西周
陝西扶風縣黄堆村25號墓出土。
高6.5厘米。
玉人爲蹲踞狀，雙手撫膝。頭戴龍首形冠，龍頭上有角。
現藏陝西省周原博物館。

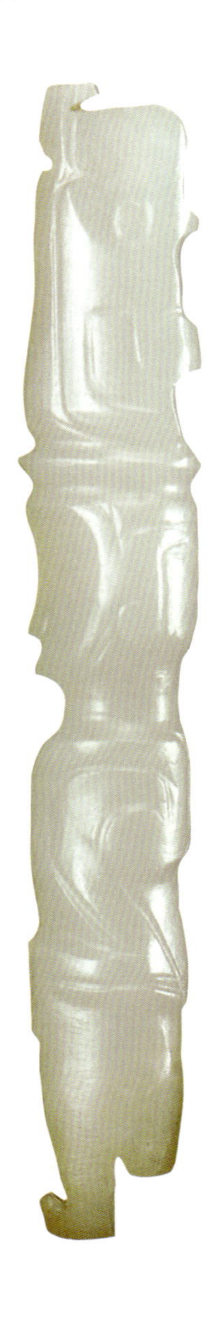

人形佩

西周
河南平頂山市應國墓地出土。
高8.8、寬2厘米。
人形爲側面蹲坐，以陰綫裝飾。
頭戴冠，冠後部下垂。
現藏河南博物院。

人龍鳥獸紋佩

西周

陝西西安市長安區張家坡墓地出土。

高6.7、寬2.3厘米。

正面圖案爲人、龍、鳥組合圖案，背平素。

現藏中國社會科學院考古研究所。

巨冠鳥形佩

西周

河南三門峽市虢國墓地出土。

高5.5厘米。

鳥巨冠，勾喙。兩面紋飾相同。

現藏河南省文物考古研究所。

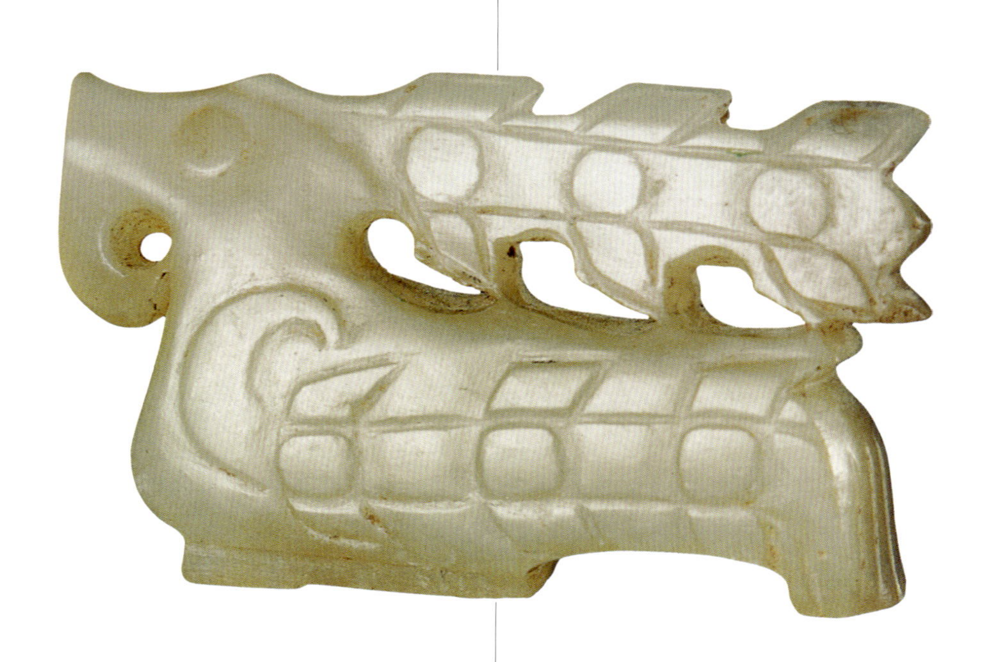

鳥形佩

西周

陝西岐山縣王家嘴2號墓出土。

長4、高2.6厘米。

圓雕，鈎喙巨冠。兩面紋飾相同。

現藏陝西省周原博物館。

鳥形佩

西周

陝西扶風縣齊家村19號墓出土。

左高3.5、右高4厘米。

兩鳥一對，立者爲雄，卧者爲雌，均爲圓眼，釘頭狀喙，頭上琢出尖錐形冠。

現藏陝西省周原博物館。

鳥形佩（右图）

西周
河南三門峽市虢國墓地出土。
高5.4、寬2.4厘米。
勾喙，立足，大尾。
現藏河南省三門峽市虢國博物館。

鳥魚形佩

西周
陝西西安市長安區張家坡50號墓出土。
長6.5、寬2.6厘米。
寬喙，足後有鰭，寬尾。爲鳥和魚的合體造型。
現藏中國社會科學院考古研究所。

鳳鳥形佩

西周

河南三門峽市虢國墓地出土。

高3.5、寬4.1厘米。

雙面雕刻。鳥目圓睜，喙粗壯且向內彎曲，鳥冠碩長曲捲；鳥的尾部豐滿，向上彎曲，一小部分向下彎曲，似做“足”用。

現藏河南省三門峽市虢國博物館。

鷹形佩

西周

河南平頂山市應國墓地出土。

高2.2、寬5.7厘米。

鷹作側首展翅狀，身子與雙翅成一弓形。

現藏河南省文物考古研究所。

鷹形佩

西周
山東滕州市莊里西村出土。
高7.6厘米。
鷹作站立狀，一足抬起，長頸前伸。
兩面飾紋相同。
現藏山東省滕州市博物館。

鸕鷀形佩

西周
山東濟陽縣姜集鄉劉臺子村出土。
高3.6、寬5.1厘米。
鸕鷀作站立回首狀，喙中銜一小魚。
現藏山東省濟陽縣博物館。

鴞形佩

西周

河南洛陽市北窑西周墓出土。

高5、寬7.8厘米。

鴞昂首安卧，用雙陰綫刻目、翼、爪，兩足蹲立。

現藏河南省洛陽博物館。

鴞形佩（右圖）

西周

山東滕州市前掌大3號墓出土。

高4.3、寬2.3厘米。

圓雕。圓頭，翹喙，鼓胸；兩翼收攏，以三道弧綫表示羽毛層次；尾下垂，腿微彎；以單陰綫刻劃出圓睛及胸翼間渦紋。喙下及胸前各對鑽一穿孔。

現藏中國社會科學院考古研究所。

虎形佩

西周

陝西寶鷄市茹家莊1號墓出土。

長6.5、寬2.8厘米。

扁平體。玉虎頭高昂，短頸，小耳直立，張口爲一圓孔，露尖齒作吼叫狀，長尾上揚。

現藏陝西省寶鷄市青銅器博物館。

虎形佩

西周

陝西寶鷄市茹家莊1號墓出土。

長8、寬2.8厘米。

扁平體。玉虎頭微昂前伸，立耳露齒，腰身稍曲，長尾上翹，四肢前屈，作疾馳狀。虎身虎耳均飾陰綫雲紋，口部鑽一圓孔。

現藏陝西省寶鷄市青銅器博物館。

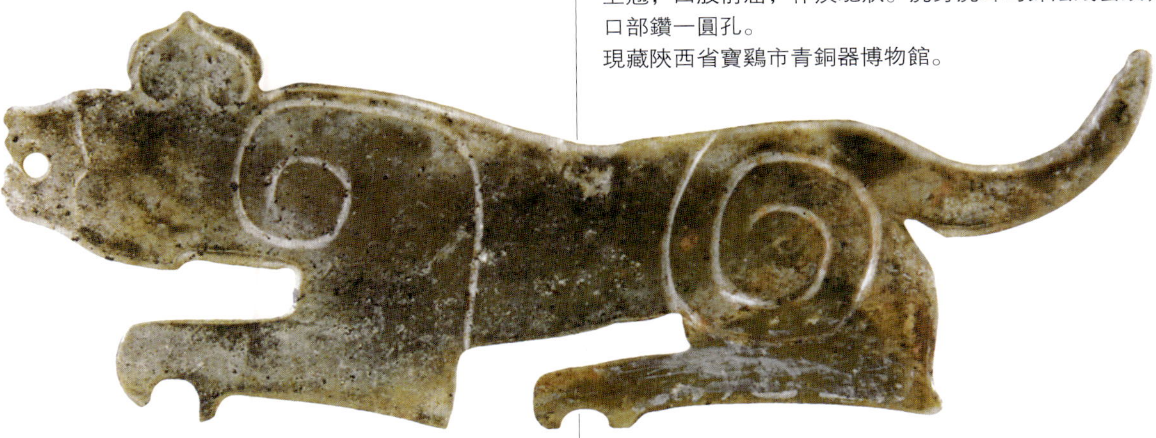

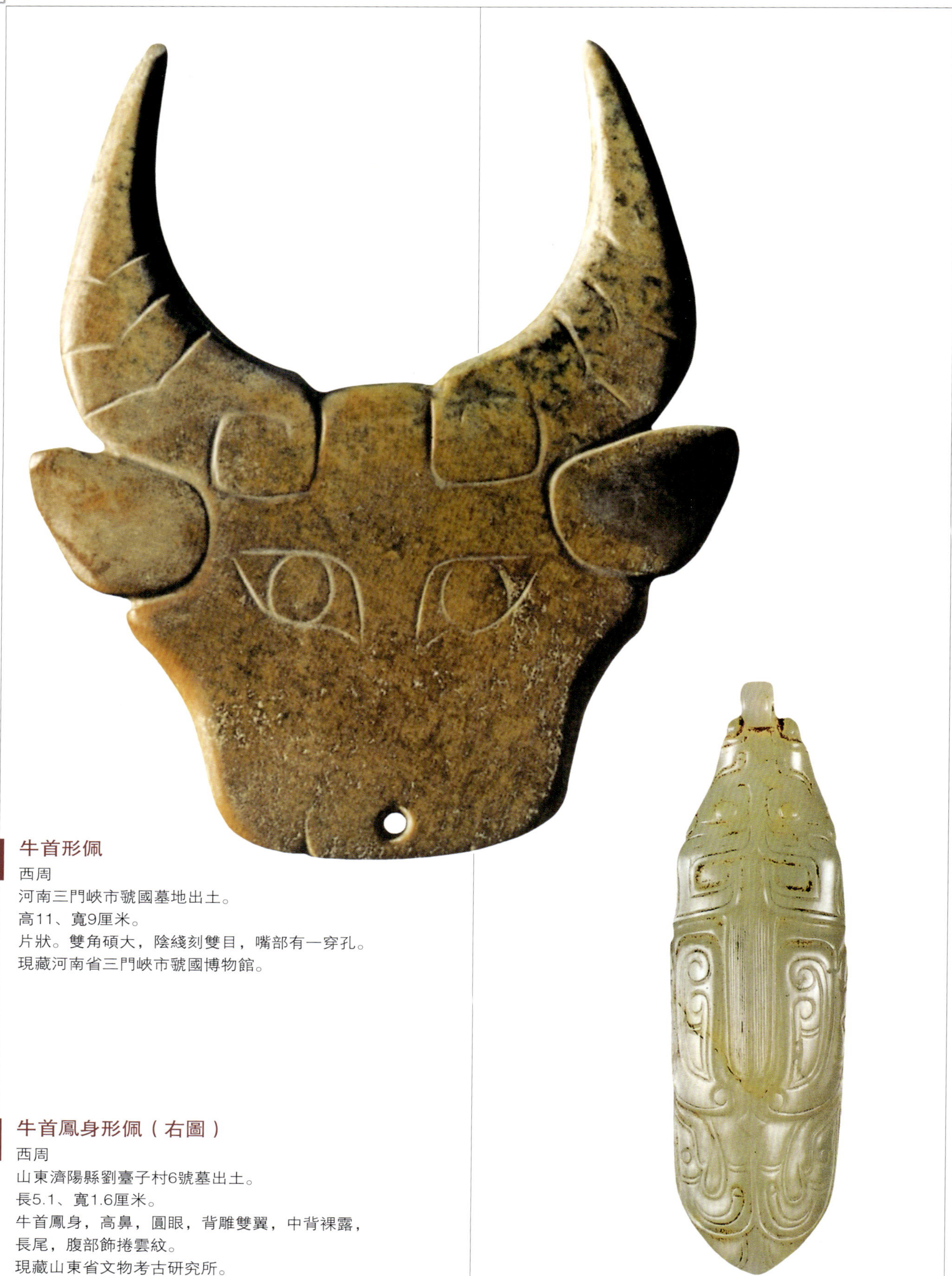

牛首形佩

西周
河南三門峽市虢國墓地出土。
高11、寬9厘米。
片狀。雙角碩大，陰綫刻雙目，嘴部有一穿孔。
現藏河南省三門峽市虢國博物館。

牛首鳳身形佩（右圖）

西周
山東濟陽縣劉臺子村6號墓出土。
長5.1、寬1.6厘米。
牛首鳳身，高鼻，圓眼，背雕雙翼，中背裸露，長尾，腹部飾捲雲紋。
現藏山東省文物考古研究所。

馬首形佩

西周
河南三門峽市虢國墓地出土。
高5.8、寬3.3厘米。
片狀。頭部有捲曲角狀物。
現藏河南省三門峽市虢國博物館。

鹿形佩

西周
陝西寶鷄市茹家莊1號墓出土。
高8.8、寬7.2厘米。
扁平體，頭頂兩角聳起，有一分枝彎曲成一圓孔。
現藏陝西省寶鷄市青銅器博物館。

鹿形佩

西周
陝西寶鷄市茹家莊1號墓出土。
高9、寬4.8厘米。
扁平體，兩面均以陰綫雕出鹿之“臣”字目和鼻、口、蹄、尾等紋。
現藏陝西省寶鷄市青銅器博物館。

鹿形佩

西周
河南三門峽市虢國墓地出土。
高4.7、寬6.1厘米。
無角，葉形大耳，梭形眼，口微張作嘶鳴狀，蹄足，短尾。鹿身體肥碩，胸部有一穿孔。
現藏河南省三門峽市虢國博物館。

鹿形佩（右圖）

西周
河南三門峽市虢國墓地出土。
高8.8、寬5厘米。
片雕。鹿角分枝向上，圓目平視。
現藏河南博物院。

鹿形佩

西周
山西曲沃縣晉侯墓地63號墓出土。
高8.3、寬5.9厘米。
片雕。鹿角彎曲回捲，葉形耳，蹄足。
現藏山西省考古研究所。

鹿形佩

西周
陝西曲沃縣晉侯墓地9號墓出土。
高5.5、寬4.6厘米。
片雕。鹿角彎曲迴捲，大耳，圓目，蹄趾明顯。
現藏山西省考古研究所。

兔形佩

西周
陝西寶鷄市茹家莊1號墓出土。
高3.2、寬4.7厘米。
扁平體。玉兔蹲伏在地，雙目前視，長耳後聳。
尾部短小。微雕出四爪，前足鑽有一穿孔。
現藏陝西省寶鷄市青銅器博物館。

兔形佩

西周
山東濟陽縣姜集鄉劉臺子村出土。
高2.1、寬4.9厘米。
兔作蹲伏欲躍狀。
現藏山東省濟陽縣博物館。

蛇形佩

西周
河南三門峽市虢國墓地出土。
長9.5、寬1.9厘米。
圓雕，單面雕鱗紋。蛇口銜一魚。
現藏河南省三門峽市虢國博物館。

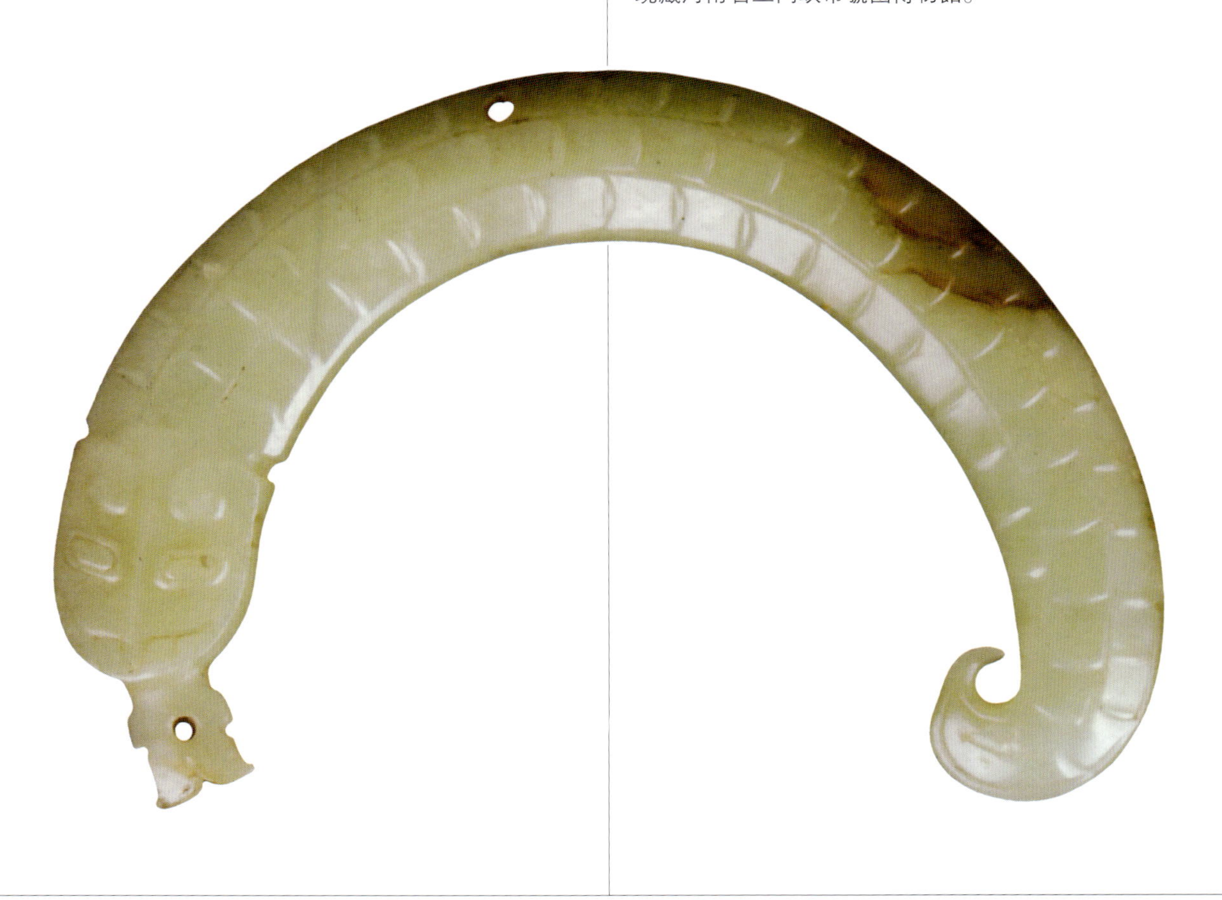

蟬形佩腹面

蟬形佩

西周
陝西户縣出土。
長3.8、寬2厘米。
蟬體呈圓柱狀，頭頂進，下頷出。雙眼凸隆，頸部飾寬帶紋，兩翼成斜坡狀。
現藏陝西省西安市文物保護考古所。

蟬形佩

西周
河南三門峽市虢國墓地出土。
長4.1、寬16厘米。
整體爲三棱形，雙面雕。圓眼，尖嘴，雙翅後斂，并用細陰綫雕刻出尾部。正面蟬的尾部正好是背面蟬的頭部。兩蟬嘴部各有一穿。
現藏河南省三門峽市虢國博物館。

魚形佩

西周

陝西淳化縣潤鄉鎮出土。

長10、寬3.1厘米。

頭和尾各一孔。

現藏陝西省咸陽博物館。

魚形佩

西周

陝西西安市長安區豐鎬遺址出土。

長10.7、寬2.5厘米。

蛇紋石質。頭呈三角形，身軀較直，尾部減寬分叉。近口、尾兩端各有一穿孔。

現藏陝西省西安市文物保護考古所。

鳳紋玦

西周
山西曲沃縣晋侯墓地31號墓出土。
直徑4.9厘米。
由其他玉件改製，故紋飾不完整。
兩面均刻雙鳳鳥紋。
現藏山西省考古研究所。

龍紋環

西周
山西曲沃縣晋侯墓地63號墓出土。
直徑15.6厘米。
兩面紋飾相同，均爲兩條蟠捲的龍。龍首近環的外緣，身軀呈圓弧形向内盤轉漸窄，形成尾尖收于内緣。
雙龍首尾相連，雙龍之間飾捲雲紋。
現藏山西省考古研究所。

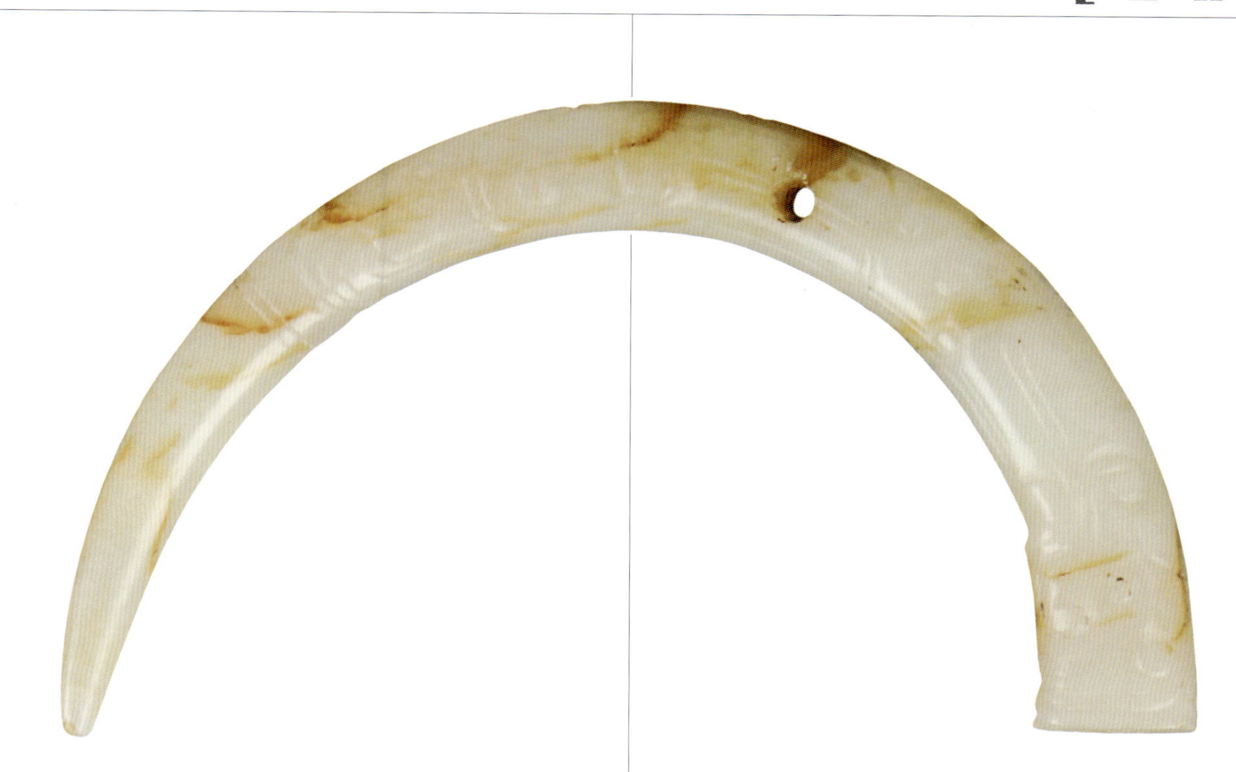

龍形觿
西周
河南三門峽市虢國墓地出土。
長8.7、頭寬1.1、尾寬0.3厘米。
弧狀龍形，一端扁平，另一端圓尖。背部飾重環紋，中部有穿孔。有部分沁色。
現藏河南省三門峽市虢國博物館。

龍形觿
西周
山西曲沃縣晋侯墓地63號墓出土。
長7.8厘米。
雙面雕，近似圓雕，一端爲龍頭，體爲螺旋狀。
現藏山西省考古研究所。

龍鳳紋柄形器

西周

山西曲沃縣晋侯墓地31號墓出土。

長10.3、寬3.8厘米。

雙面均刻有形制相同的鳳鳥紋和龍紋。通體塗硃砂。

現藏山西省考古研究所。

龍鳳紋柄形器

西周

長17.1、寬3.7厘米。

兩面紋飾相同，上部爲一對吻鳳鳥，下部爲一大鳥，一脚踏一夔龍。

現藏故宫博物院。

龍鳳紋柄形器

西周
河南三門峽市虢國墓地出土。
長13.2、寬5.2厘米。
正背面各飾一組龍鳳合紋，鳳上龍下。
現藏河南省三門峽市虢國博物館。

雙鳳紋柄形器

西周
陝西寶鷄市茹家莊1號墓出土。
長13.7、寬3.7厘米。
兩面均以陰綫雕出一對鳳鳥紋，上端鳳鳥昂首前視，高冠峨然，下端鳳鳥紋回首捲尾，別具情態。下端鳳鳥勾喙下鑽一圓孔。
現藏陝西省寶鷄市青銅器博物館。

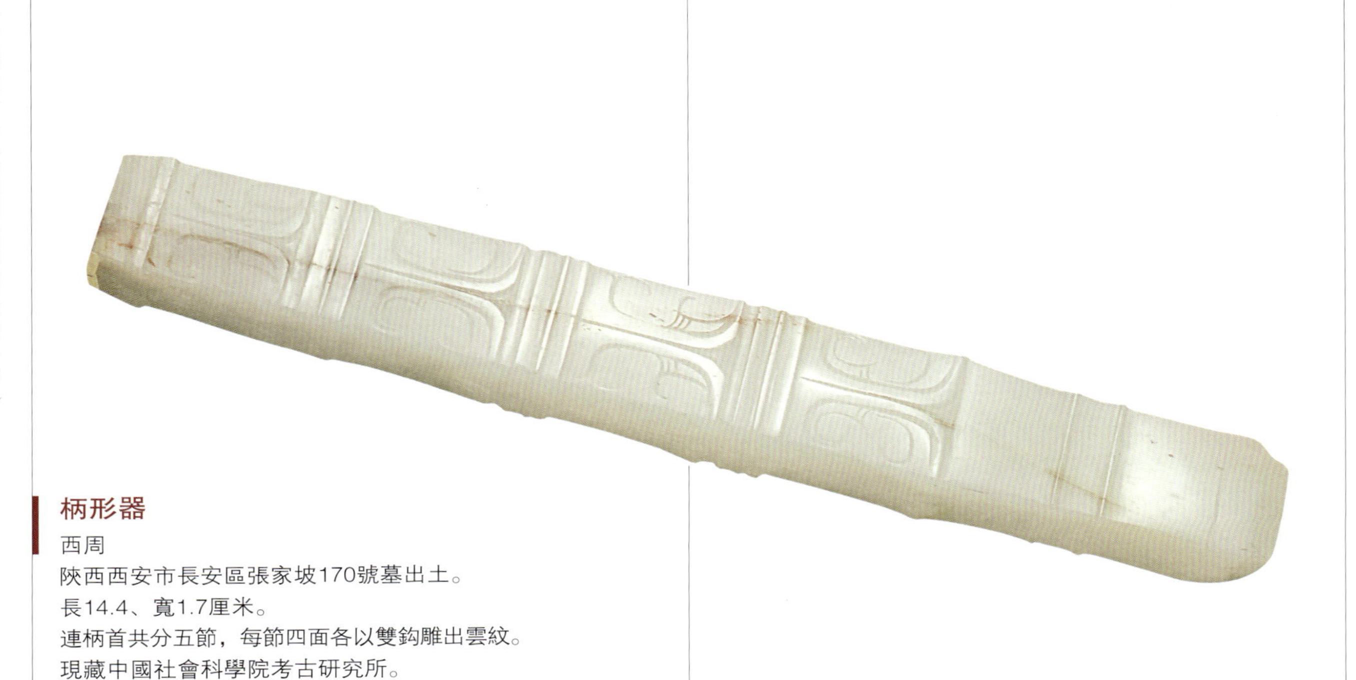

柄形器

西周
陝西西安市長安區張家坡170號墓出土。
長14.4、寬1.7厘米。
連柄首共分五節，每節四面各以雙鈎雕出雲紋。
現藏中國社會科學院考古研究所。

柄形器

西周
河南洛陽市北窑西周墓出土。
長16、寬2.8厘米。
扁平長條形，首端平直，兩側微鼓；柄部兩側稍内凹，中間飾二周平行弦紋。器身中間竪刻一綫，兩側有對稱四對葉紋，下端四面削成平刃。
現藏河南省洛陽博物館。

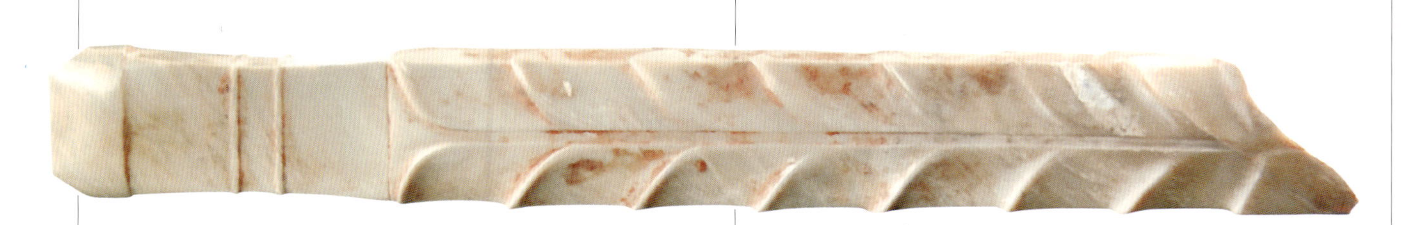

柄形器

西周
河南洛陽市北窑西周墓出土。
長19.8、寬1.7厘米。
長柱形，截面長方形，平首，頸中間飾二周凸弦紋。
器身四面各刻一竪綫，雕琢七節四葉紋。
現藏河南省洛陽博物館。

鐲

西周
四川廣漢市出土。
高3.4、直徑10.5、内徑7.2厘米。
肉較寬，口沿呈圓筒狀，近口沿各有兩道陰綫弦紋。
現藏四川博物院。

覆面

西周

陝西西安市長安區張家坡墓地出土。

玉眉寬5.8、高2.1厘米，玉眼寬5.8、高3.6厘米，玉鼻高6.3、寬2.2厘米，玉嘴寬7.3、高2.4厘米。

玉眉形似月牙，陰刻密集細綫紋以象眉毛，兩端邊緣有穿向背面的針孔。玉眼，形似圓梭，中央陰刻同心圓紋。兩端眼角的上下邊緣有穿向背面的針孔。玉鼻，青綠色，長條形，中腰橫飾三道凸弦紋，上下有對稱的兩圈雙陰綫紋。玉嘴形亦似月牙，兩角向上，像張口咧嘴之狀，兩側各鑽一個明孔。

現藏中國社會科學院考古研究所。

覆面

西周

河南三門峽市虢國墓出土。

高43.5、寬42厘米。

由人的眉、目、耳、鼻、口、腮、髯鬚、下顎、印堂等部位形狀的玉片組成，玉片上有小孔，可綴于絲織物上覆蓋于死者面部。

現藏河南博物院。

覆面

西周
山西曲沃縣晉侯墓地出土。
綴玉最長6.2、寬2.9厘米。
由七十九件形制各异的玉件組成。周邊圍繞大小間隔的三角形片，中間排列臉部各部位。
現藏山西省考古研究所。

覆面

西周

山西曲沃縣晉侯墓地92號墓出土。

嘴寬4.3、高1.8厘米。

共二十三塊。出土時刻有紋飾的一面朝下，緊貼在墓主人臉部。無紋飾一面，均有斜穿孔，用于縫綴在布帛類織物上。

現藏山西省考古研究所。

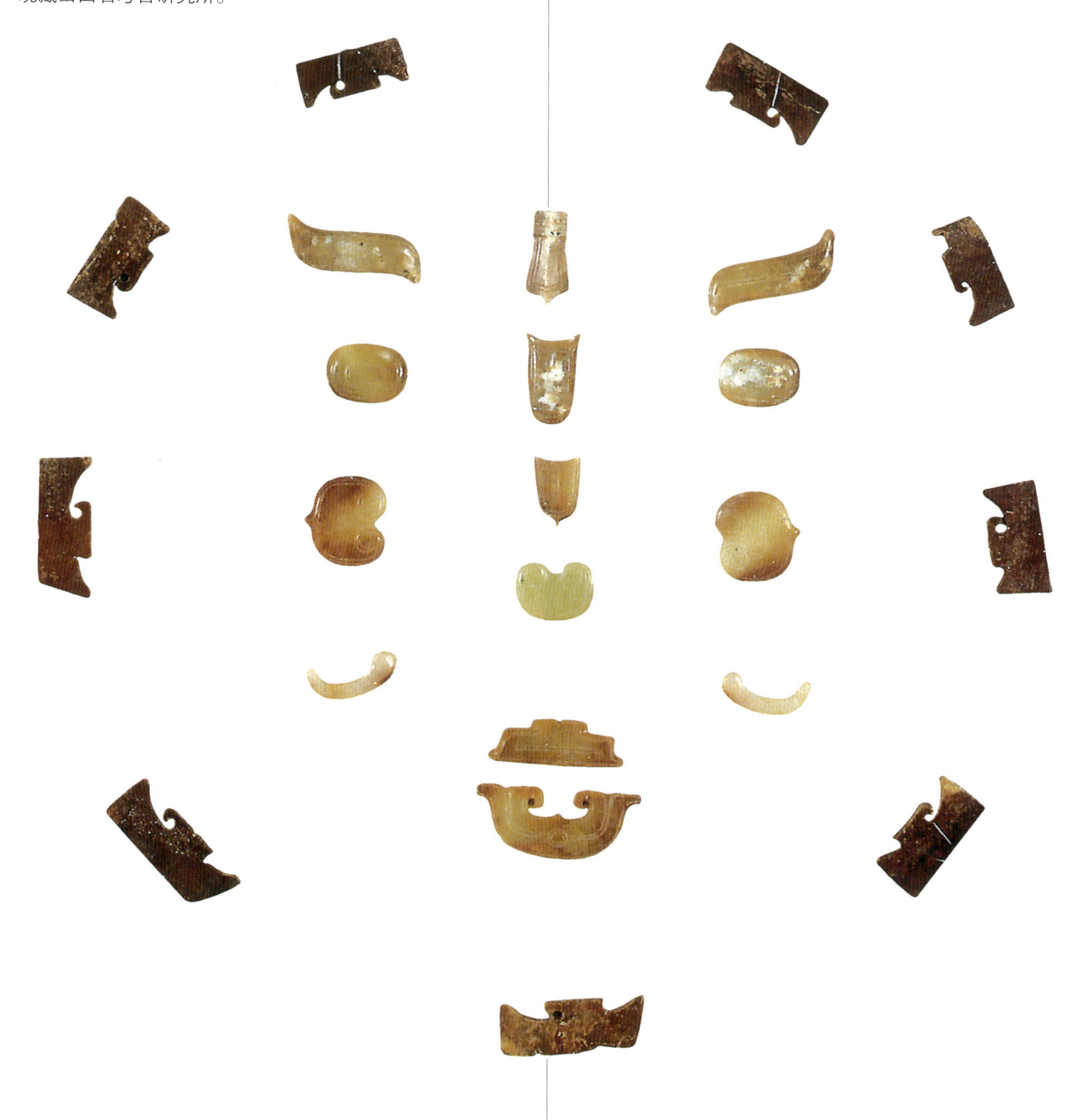

握

西周
河南三門峽市虢國墓地出土。
左高11、右高12.3厘米。
二件，出土時用紅色組帶分別繫于墓主人的左、右手之中。
現藏河南省三門峽市虢國博物館。

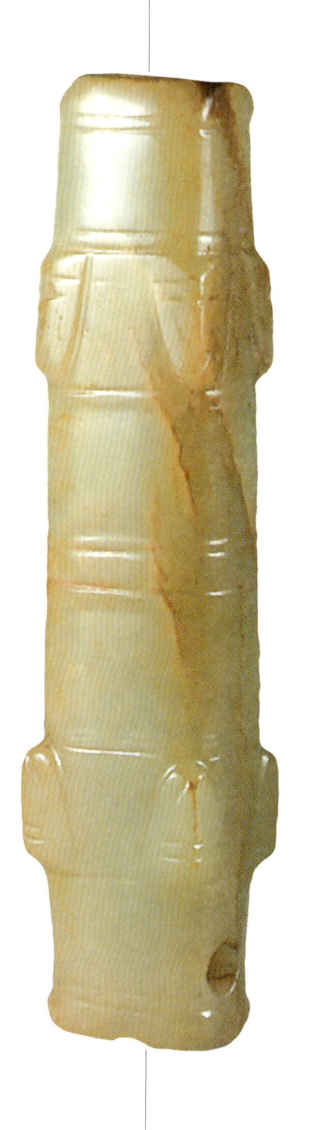

握

西周
山西洪洞縣永凝堡西周墓地5號墓出土。
高9、頂面直徑2.7、底面直徑2.3厘米。
圓柱形，束腰。柱端面中間有喇叭形孔上下貫通。龍紋自上向下纏繞，綫條圓潤流暢。
現藏山西省考古研究所。

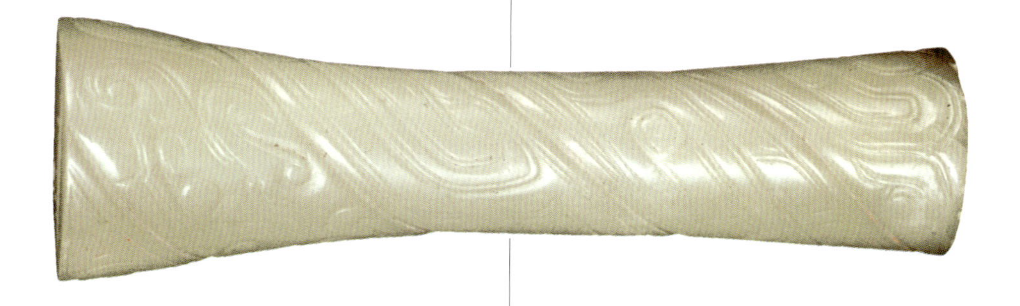

人形飾

西周
山西曲沃縣晋侯墓地63號墓出土。
高9.4厘米。
圓雕。正面有起伏，背平整。高冠，正中有穿孔，密髮中分，從耳後下垂。服飾紋路清晰，爲單綫陰刻。
現藏山西省考古研究所。

人形飾

西周
山西曲沃縣晋侯墓地63號墓出土。
高6.3厘米。
圓雕。立狀。頭髮部分用碧玉雕琢，可以分開，頭頂有一小穿孔，頭髮向四周整齊垂下，後腦刻有小辮垂至頸部。玉人有上下直通的穿孔。
現藏山西省考古研究所。

人形飾

西周
山西曲沃縣晉侯墓地63號墓出土。
高9.7厘米。
圓雕，“臣”字目圓睁，頭頂兩個前聳的犄角形髮式，後腦髮式下垂微曲。雙手前舉抱拳，臂飾捲雲紋。腹略鼓，有一周寬腰帶，上飾斜方格紋，腹一側佩龍形器。玉人雙腿曲立，腿上飾捲雲紋，脚登方頭鞋，下有榫頭。
現藏山西省考古研究所。

人形飾

西周

甘肅靈臺縣白草坡墓地出土。

高17.6、寬2.3厘米。

圓雕立像，頭上盤繞一獸首蛇身的動物。

現藏甘肅省博物館。

人形飾

西周

河南三門峽市虢國墓地出土。

高4.4、寬2.2厘米。

玉人呈坐姿。頭部微向前傾，長臉，尖頜，柳葉形長眉，“臣”字眼，高鼻梁，嘴巴寬扁。底部有單面鑽孔。

現藏河南省三門峽市虢國博物館。

人形飾

西周
甘肅靈臺縣白草坡墓地出土。
高7.9、寬1.1厘米。
圓雕技法，人身上雕有繩索，作捆縛狀，
應爲俘虜或奴隸的形象。
現藏甘肅省博物館。

人面紋飾

西周
高8、寬2.1厘米。
體扁平。人面側視。可穿繫。
現藏故宫博物院。

人形飾

西周
山西曲沃縣村晋侯墓地8號墓出土。
高9.1、寬3.3厘米。
扁體。髮飾爲雙龍紋組成，後腦可見直髮；
身着高領衣，領下右側開短衽。
現藏山西省考古研究所。

虎形飾

西周
河南洛陽市北窑西周墓出土。
長16.4、高3.8厘米。
作伏卧狀，頭向下垂，長尾後拖上捲。背飾雷紋，兩側捲曲紋，一側背部從頭至身後均有黑灰色斑。
現藏河南省洛陽博物館。

牛形飾

西周
山西曲沃縣晋侯墓地63號墓出土。
長7、寬2.2、高4厘米。
圓雕。牛置于一平板上，脖套上有繩子與板固定，牛前肢用力，作奮力欲起狀。
現藏山西省考古研究所。

馬形飾

西周
山西曲沃縣晋侯墓地63號墓出土。
殘長7.7、殘高5厘米。
圓雕。站立狀，刻有鬃毛。以雙鈎陰綫紋表現馬的肌體，紋飾琢刻柔和。
現藏山西省考古研究所。

羊形飾

西周
山西曲沃縣晋侯墓地63號墓出土。
長5、高2.5厘米。
圓雕。回首俯卧狀，頭兩側大角内捲，身刻寬陰綫。
現藏山西省考古研究所。

龜形飾

西周
山西曲沃縣晉侯墓地63號墓出土。
長5.4、寬4厘米。
圓雕。前後鏤空，不見頭尾四爪。兩端穿孔貫穿首尾，腹甲一端有穿孔。
現藏山西省考古研究所。

龜形飾（右圖）

西周
山東濟陽縣劉臺子村6號墓出土。
長4.1、寬3厘米。
圓雕，伸首鼓眼。背飾兩組勾連雷紋。腹下有兩孔。
現藏山東省文物考古研究所。

螳螂形飾

西周
山西曲沃縣晉侯墓地63號墓出土。
長7厘米。
白色，玉質透明，片雕，由大小兩隻螳螂組成。
現藏山西省考古研究所。

團龍紋飾

西周
山西洪洞縣水凝堡出土。
直徑5.2厘米。
正面爲團龍吐舌，舌另一頭似連着另一龍頭，構圖奇特。背面光素。
現藏山西省考古研究所。

人龍形飾

西周

山西曲沃縣晉侯墓地31號墓出土。

長4.5、高2.9厘米。

兩面刻有造型相同的紋飾，爲羽人和龍紋合體。通體塗硃砂。

現藏山西省考古研究所。

龍形飾

西周

山西曲沃縣晉侯墓地31號墓出土。

長4、高3.6厘米。

龍作回首狀。頭後有角，長鼻上捲，下唇反捲，尾内上捲，曲爪。

現藏山西省考古研究所。

牛形飾

西周
山西曲沃縣晉侯墓地63號墓出土。
長7.1、高3.7厘米。
半圓雕。牛昂首前視，尖角後聳，肌體肥碩。
現藏山西省考古研究所。

鳳鳥形飾

西周
山西曲沃縣晉侯墓地63號墓出土。
長10.9、高5.2厘米。
鳳圓眼，勾喙，花冠後捲，短翅上翹。
現藏山西省考古研究所。

猴龍形飾

西周
山西曲沃縣晋侯墓地102號墓出土。
高9.4厘米。
兩面雕刻相同的紋飾。上部爲一龍，下爲一猴。
現藏山西省考古研究所。

四龍首紋牌飾

西周
山西曲沃縣晋侯墓地102號墓出土。
高8.3、上寬5.2、下寬7.6厘米。
單面雕刻兩條雙首龍紋，玉牌上端側背有七個斜穿孔，下端有九個側背斜穿孔。
現藏山西省考古研究所。

罍

西周
山西曲沃縣晉侯墓地63號墓出土。
高6.2厘米。
圓雕。器型仿青銅器。小口，口邊的造型極富立體感。圓肩，平底。肩飾陰綫鳳鳥紋，腹部飾旋渦紋、三角垂葉紋。
現藏山西省考古研究所。

鼓

西周
山西曲沃縣晉侯墓地63號墓出土。
高5.7、寬6.2厘米。
圓雕，橢圓形。器型仿青銅器。鼓腔上部爲圓形冠，中有穿孔。鼓面刻有兩圈橢圓形。兩側各有一獸首，下部爲方足。
現藏山西省考古研究所。

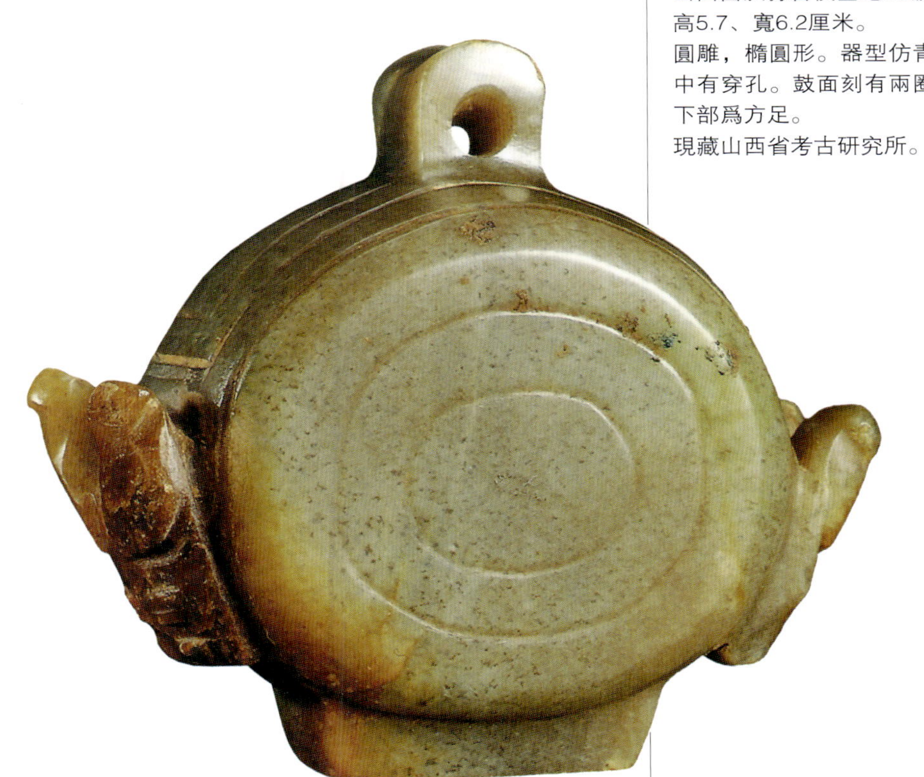

牛形調色器

西周

河南洛陽市北窑西周墓出土。

長10.1、寬5.2、高3.4厘米。

牛呈卧伏狀，牛頭前伸，雙耳貼于頭部，背部雕琢四個圓洞，洞内殘留朱紅色顔料，器身飾捲雲紋。

現藏河南省洛陽博物館。

牛形調色器頂面

箍形器

西周

高5.4、上口徑6.6、下口徑6.7厘米。

筒壁極薄，內壁打磨光滑，外壁雕五道凸弦紋和十道凹弦紋。腰部一側有一長方形孔，另一側有陰刻篆書，字迹模糊。

現藏故宮博物院。

繩紋管

西周

長9.9、寬1.4厘米。

圓柱體。體飾兩組對稱繩紋、弦紋，兩端形若花瓣，中心孔內穿銅管。

現藏天津博物館。